Cynnwys

Arweiniad i'r Cynnwys

Cwestiynau ac Atebion

1 CBAC UG

2 CBAC UG

3 CBAC Safon Uwch

Gwneud y defnydd gorau o'r llyfr hwn

Cyngor i'r arholiad

Cyngor ar bwyntiau allweddol yn y testun i'ch helpu chi i ddysgu a chofio cynnwys y pwnc, osgoi anawsterau, a rhoi sglein ar eich techneg arholiad er mwyn rhoi hwb i'ch gradd.

Profi gwybodaeth

Cwestiynau cyflym trwy'r adran Arweiniad i'r Cynnwys i wirio'ch dealltwriaeth.

Gwirio eich atebion

1 Trowch i gefn y llyfr i gael yr atebion Profi gwybodaeth.

Crynodeb

- Mae crynodeb rhestr bwled ar ddiwedd pob pwnc craidd er mwyn cyfeirio'n gyflym at yr hyn y mae angen i chi ei wybod.

1 CBAC UG

1 CBAC UG

Y darn

Mae *HMV* yn gwerthu recordiau a nwyddau amlgyfrwng ar y stryd fawr. Yn dilyn colledion, maen nhw wedi brwydro'n arwrol a hynny llai na 4 blynedd ers ei hachub rhag methiant ariannol gan *Hilco*, sy'n gwmni cyfalaf mentro. O £170 miliwn o ddyled yn 2013, ailstrwythurwyd (*restructured*) y busnes, gan leihau nifer ei siopau o 223 i 140.

Roedd cyfrifon ar gyfer mis Ionawr i fis Rhagfyr 2013 yn dangos bod y gadwyn wedi gwneud £16 miliwn o elw gweithredol ar £311.2 miliwn o werthiant. Mae'r perfformiad hwn yn dangos yn glir iawn sut y llwyddwyd i newid y sefyllfa ariannol yn wyneb cystadleuaeth gan gwmnïau fel *Amazon* ac *Apple* a'r uwchfarchnadoedd. Erbyn hyn, mae gan *HMV* 16.6% o gyfran y farchnad amlgyfryngau yn y DU, a hynny'n ail yn unig i *Amazon* sy'n hawlio 23.1% o'r farchnad.

Yn ôl *Hilco*, mae'r holl siopau yn broffidiol erbyn hyn oherwydd rhaglen ailstrwythuro ar raddfa fawr a chyflwyno cymhellion ariannol ac anariannol i'r gweithwyr. Cwtogwyd yn sylweddol ar ddyledion a chostau canolog. Er enghraifft, mae *HMV* wedi canoli ei broses archebu stoc yn Llundain i gwtogi ar nifer yr eitemau diffygiol a anfonir i'r siopau, ac mae rhenti siopau a thelerau cyflenwyr wedi'u trafod o'r newydd. Hefyd, newidiwyd cynllun ei siopau i'w gwneud yn haws cael lle i brofiadau cwsmer fel ymweliadau bandiau a diwrnodau arwyddo. Ailwampiwyd y siop ar-lein er mwyn dosbarthu archebion cyn pen diwrnod, gyda'i ap traws-lwyfannau, gyda phrisiau'r un fath â chystadleuwyr neu'n is na nhw, gan gynyddu'r gwerthiant. Mae poblogrwydd finyl hefyd wedi effeithio'n gadarnhaol ar *HMV*, gan ddenu mwy o gwsmeriaid i'r siopau. Mae ap ffrydio newydd ar gyfer cerddoriaeth a fideo ar y gweill.

Patrwm cwestiynau yn yr arholiad

Sylwadau ar y cwestiynau

Awgrymiadau ar yr hyn sydd angen ei wneud i ennill marciau llawn, a nodir gan yr eicon e

Elw gweithredol

Diffiniwch ystyr elw gweithredol. (2 farc)

e Mae'r gair gorchymyn 'diffiniwch' yn golygu bod angen i chi roi diffiniad o'r term busnes yn y cwestiwn ac mae angen i hwn fod yn glir.

AA1: ar gyfer deall beth yw ystyr y term busnes a ddefnyddiwyd. Mae hwn yn werth hyd at 2 farc a gall gynnwys diffiniad manwl neu ddiffiniad sylfaenol. Mae diffiniadau cywir yn hollbwysig i ennill marciau.

Enghraifft o ateb myfyrwyr

Rhowch gynnig ar y cwestiynau, cyn troi at yr atebion myfyrwyr sy'n dilyn.

Myfyriwr A

Yr elw gweithredol yn *HMV* yw £16 miliwn. a

e **Dyfarnwyd 0/2 marc.** a Mae'r myfyriwr wedi ceisio cysylltu rhan berthnasol o'r darn â'r term busnes, ond nid yw wedi cysylltu hyn â'r diffiniad ac nid yw hyd yn oed wedi nodi o ble yn y darn y cymerwyd y ffigur hwn, felly nid yw'n ennill marciau o gwbl.

Myfyriwr B

Elw gweithredol yw faint o elw a wnaethpwyd i gyd o weithgareddau masnachu'r busnes cyn ystyried sut mae'r busnes yn cael ei gyllido. a Elw gweithredol = elw crynswth – treuliau gweithredol eraill. b

Swyddogaethau busnes 63

Sylwadau ar atebion sampl myfyrwyr

Darllenwch y sylwadau (sy'n dilyn eicon e) sy'n dangos faint o farciau a fyddai'n cael eu rhoi i bob ateb yn yr arholiad ac yn union ble mae marciau'n cael eu hennill neu eu colli.

Gwybodaeth am y llyfr hwn

Ysgrifennwyd y canllaw hwn ag un bwriad: darparu'r adnodd delfrydol i chi ar gyfer adolygu ar gyfer Busnes Uwch Gyfrannol a Safon Uwch CBAC.

Wrth astudio'r pwnc byddwch yn ystyried busnes mewn amrywiaeth o gyd-destunau, bach a mawr, cenedlaethol a byd-eang, gwasanaethau a gweithgynhyrchu. Mae'r llyfr hwn yn ymdrin â thema Uned 2 – Swyddogaethau busnes.

Mae'r adran **Arweiniad i'r Cynnwys** yn cynnig ymdriniaeth gryno, sy'n cyfuno trosolwg o dermau a chysyniadau allweddol â nodi cyfleoedd i chi arddangos sgiliau lefel uwch o ran dadansoddi a gwerthuso.

Mae'r adran **Cwestiynau ac Atebion** yn rhoi enghreifftiau o ddeunyddiau ysgogol a'r gwahanol fathau o gwestiynau sy'n debygol o godi: rhai ateb byr a rhai ymateb i ddata. Maent hefyd yn rhoi esboniadau o eiriau gorchmynnol y gellir eu cymhwyso i unrhyw gwestiwn gyda'r un gair. Esbonnir yr atebion yn fanwl hefyd, gan gynnwys y graddau a gafwyd.

Un broblem gyffredin i fyfyrwyr ac athrawon yw'r diffyg adnoddau ac yn benodol cwestiynau o fath arholiad sy'n ymdrin â meysydd astudio unigol. Mae'r cwestiynau yn y canllaw hwn wedi'u teilwra fel y gallwch gymhwyso eich dysgu tra bydd y pwnc yn dal yn ffres yn eich meddwl, naill ai yn ystod y cwrs ei hun neu pan fyddwch wedi adolygu pwnc wrth baratoi ar gyfer yr arholiad. Ynghyd â'r atebion sampl, dylai hyn roi sylfaen gadarn i chi ar gyfer sefyll eich arholiadau mewn Busnes.

Gwybodaeth flaenorol

Mae Busnes UG a Safon Uwch yn cymryd yn ganiataol nad oes gan fyfyrwyr unrhyw brofiad blaenorol penodol o'r pwnc. Y newyddion da yw bod pawb yn dechrau yn y man cychwyn cyntaf o ran y termau a'r wybodaeth allweddol. Y rhinwedd bwysicaf ar hyn o bryd yw diddordeb yn y newyddion cyfredol am fusnesau sy'n gyfarwydd i chi, fel *Apple* a *McDonalds*. Pwnc yw busnes sy'n gofyn ichi gymhwyso termau allweddol i fusnesau go iawn felly bydd diddordeb mewn busnesau yn y newyddion yn eich helpu'n sylweddol i osod y damcaniaethau yn eu cyd-destun. Yr agwedd hon yw'r rhan ddifyr o'r pwnc, a bydd yn eich helpu tuag at sgorio'n uchel yn yr arholiad.

Arweiniad i'r Cynnwys

Marchnata

Mae **marchnata** yn ymwneud ag adnabod, rhagweld a bodloni anghenion cwsmeriaid er mwyn creu mantais gystadleuol a galluogi busnes i wneud mwy o elw.

Diben marchnata yw:

- nodi a dadansoddi cynhyrchion newydd, gan ddefnyddio ymchwil i'r farchnad, ar gyfer marchnadoedd sy'n bodoli'n barod a marchnadoedd newydd
- bodloni anghenion cwsmeriaid fel bod teyrngarwch i'r cynnyrch a/neu'r brand yn golygu bod pobl yn prynu dro ar ôl tro

Mae marchnata'n holl bwysig i wahanol fathau o sefydliadau busnes. Bydd busnesau mwy o faint yn clustnodi adrannau a staff penodol iddo, ac efallai bydd busnesau llai o faint angen neu'n dewis contractio'r tasgau marchnata i fusnesau arbenigol. Mae marchnata yn bwysig i fusnesau oherwydd:

- mae'n cynyddu ymwybyddiaeth cwsmeriaid am gynhyrchion ac felly'n dylanwadu ar werthiant
- bydd angen i fusnesau ddefnyddio rhagolygon gwerthiant a baratowyd gan yr adran farchnata i gynllunio eu rhaglenni cynhyrchu a'u gofynion staffio

Marchnata
Y broses o adnabod, rhagweld a bodloni anghenion cwsmeriaid er mwyn gwneud elw.

Gogwyddo at y cynnyrch

Mae gogwyddo tuag at y cynnyrch (*product orientation*) yn golygu bod busnes yn canolbwyntio'n bennaf ar greu a datblygu nwydd neu wasanaeth o ansawdd uchel – ond efallai'n anwybyddu blaenoriaethau ac anghenion cwsmer.

Gogwyddo at farchnad

Ystyr **gogwyddo at farchnad** yw bod busnes yn dewis dylunio cynnyrch neu wasanaeth i fodloni gofynion, dyheadau neu anghenion cwsmeriaid. Mae ymchwil i'r farchnad yn hollbwysig i lwyddiant busnes sy'n gogwyddo at farchnad am ei fod yn cynnig llawer o wahanol ddulliau o nodi chwaeth a blaenoriaethau cwsmeriaid.

Gogwyddo at farchnad
Lle mae busnes yn ceisio darparu cynnyrch neu wasanaeth i fodloni dymuniadau neu anghenion cwsmeriaid.

Marchnata a arweinir gan asedau

Marchnata a arweinir gan asedau (*asset-led marketing*) yw defnyddio cryfderau'r busnes a'r cynhyrchion (sef yr asedau) i fodloni anghenion cwsmeriaid. Mae marchnata a arweinir gan asedau yn ceisio defnyddio cryfderau mewnol y busnes, fel gweithlu medrus neu ddefnyddio technoleg, i fodloni gofynion cwsmeriaid.

Marchnata a arweinir gan asedau Dull lle mae asedau busnes (priodoleddau'r busnes a'i gynhyrchion) yn cael ei ddefnyddio i fodloni anghenion cwsmeriaid.

Profi gwybodaeth 1

Rhowch un rheswm pam nad yw dull Marks and Spencer o ddefnyddio marchnata a arweinir gan asedau efallai'n gwella gwerthiannau ei ddillad.

Cymysgedd marchnata

Cymysgedd marchnata (*marketing mix*) yw'r ffordd y mae busnes yn rheoli pedair elfen i sicrhau bod y cynnyrch yn addas i gwsmeriaid posibl. Y pedair elfen yw cynnyrch, pris, lle a hyrwyddo fel y dangosir yn Ffigur 1.

Cymysgedd marchnata
Y ffordd y mae busnes yn rheoli'r pedair elfen: cynnyrch, pris, lle a hyrwyddo.

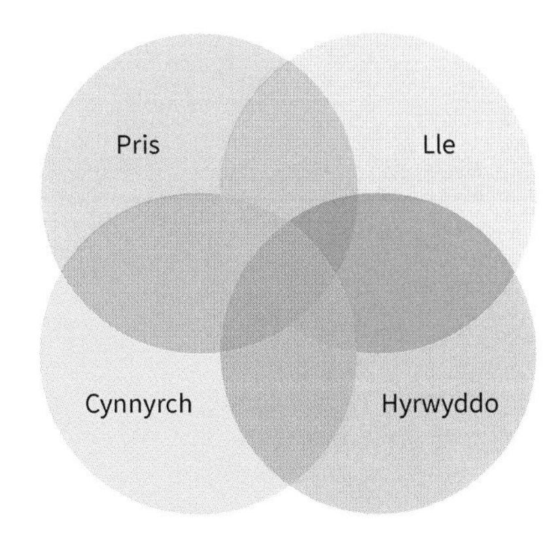

Ffigur 1 Pedair elfen y cymysgedd marchnata

Cyfrinach cymysgedd marchnata lwyddiannus yw sicrhau ei fod wedi'i integreiddio'n dda ar draws y pedair elfen, a bod y cymysgedd cyfan yn creu'r ddelwedd gywir i gyfateb i'r cyfle marchnata a nodwyd.

Cynnyrch

Ystyr **cynnyrch** yw'r item neu'r gwasnaeth a gynigir ar werth i'r cwsmer. Gall fod mor syml ag afal neu mor soffistigedig ag awyren.

Portffolio cynhyrchion yw'r term a roddir i'r amrywiaeth lawn o gynhyrchion a brandiau a gynhyrchir gan fusnes. Er enghraifft, mae gan y sianel siopa ar-lein QVC fwy na 15,000 o eitemau yn ei phortffolio cynhyrchion cyfredol.

Brand

Brand yw enw, symbol neu ddyluniad ar gyfer cynnyrch neu wasanaeth sy'n ceisio ei wneud yn unigryw, gan ei wneud yn wahanol i gynhyrchion neu wasanaethau cystadleuwyr.

Y brif ffordd o adeiladu brand yw drwy ganolbwyntio ar **bwynt gwerthu unigryw** (*unique selling point* – **USP**), sef rhywbeth am y cynnyrch sy'n ei wneud yn wahanol i gynhyrchion eraill ar y farchnad.

Gwahaniaethu cynnyrch

Mae **gwahaniaethu cynnyrch** (*product differentiation*) yn cyfeirio at nodweddion gwirioneddol neu nodweddion eraill y mae'r busnes yn eu defnyddio i argyhoeddi cwsmeriaid i brynu ei gynnyrch neu wasanaeth yn lle rhai ei gystadleuwyr.

Un o fanteision gwahaniaethu cynnyrch yw bod busnes yn canolbwyntio ar ddweud wrth gwsmeriaid beth sy'n wahanol ac yn well am y cynnyrch. Gall hyn **ychwanegu gwerth**, gan olygu bod cwsmeriaid yn fodlon talu pris uwch.

Un anfantais yw y gallai'r ymgais at fod yn wahanol ychwanegu mwy at y costau dylunio a chynhyrchu nag y mae cwsmeriaid yn fodlon ei dalu.

Cyngor i'r arholiad

Ystyriwch ffactorau fel mantais gystadleuol i'ch helpu i werthuso cryfderau busnes yn y farchnad. Cofiwch beidio â dweud mai cynnyrch sy'n wahanol yw cynnyrch gwhaniaethol - fyddwch chi ddim yn ennill marciau am ddweud hynny!

Portffolio cynhyrchion
Y cyfan o'r cynhyrchion a'r brandiau a gynhyrchir gan fusnes.

Brand
Enw, symbol neu ddyluniad sy'n gwneud cynnyrch neu wasanaeth yn wahanol i eraill yn y farchnad.

Pwynt gwerthu unigryw
Agwedd ar gynnyrch sy'n ei wneud yn wahanol i gynhyrchion eraill, tebyg.

Ychwanegu gwerth
Y gwahaniaeth rhwng pris y cynnyrch neu wasanaeth gorffenedig a chost nwyddau a gwasanaethau.
Y mwyaf cyffrous a gwreiddiol yw nodweddion y cynnyrch, mwyaf gwerthfawr y bydd i'r cwsmer

Pwysigrwydd dewis y cynhyrchion cywir ar gyfer y busnes a'r rhanddeiliaid

Er mwyn i fusnes gael y cynhyrchion cywir, bydd angen iddo ystyried:

- **Cryfderau a gwendidau'r busnes.** Er enghraifft, bydd gan fusnesau arloesol fel *Apple* y personél a'r gweithwyr arbenigol i greu technolegau newydd.
- **Cystadleuaeth** gan fusnesau eraill o ran ennill cyfran o'r farchnad yn ogystal â blaengaredd o ran technoleg a systemau ariannol.
- **Rhanddeiliaid,** ni fydd cyfranddalwyr am fentro arian mawr ar gynhyrchion newydd oni bai bod y busnes yn dangos ei fod yn gallu gwneud elw ohonynt. Bydd y gweithwyr hefyd eisiau bod yn siŵr bod mentro i gynhyrchion newydd wedi cael ei ystyried yn ofalus, gyda'r gefnogaeth ariannol berthnasol. Bydd angen i'r busnes ddangos bod cwsmeriaid posibl yn fodlon prynu cynnyrch newydd mewn niferoedd digonol ac am bris sy'n gwneud elw i'r busnes.

I sicrhau bod cynnyrch yn bodloni anghenion y farchnad darged, mae angen **cymysgedd dylunio** (*design mix*) effeithiol, sy'n cynnwys swyddogaeth y cynnyrch, sut mae'n edrych (estheteg) a chostau datblygu a gweithgynhyrchu:

- **Swyddogaeth** yw pa mor effeithiol mae'r cynnyrch yn gweithio, e.e. beth ydy safon y camera ac oes oed hir i'r batri? A yw'n ddibynadwy?
- **Estheteg** yw'r ffordd mae'r cynnyrch yn apelio at gwsmeriaid o ran ei olwg, ei deimlad neu arogl. Gall hyn wneud y cynnyrch yn wahanol i eraill yn yr un farchnad, gan greu mwy o alw gan gwsmeriaid.
- **Costau creu'r cynnyrch** sy'n cynnwys costau ei weithgynhyrchu a'i gynhyrchu. Rhaid i'r cynnyrch gael ei ddylunio mewn modd y gellir ei gynhyrchu'n ddigon rhad i wneud elw.

I sicrhau bod cynnyrch yn cael yr elw gorau posibl i'r busnes, efallai bydd angen addasu'r cymysgedd dylunio i adlewyrchu:

- **Tueddiadau cymdeithasol:** gwerthoedd ac arferion diwylliannol cwsmeriaid.
- **Pryder ynghylch prinder adnoddau:** os bydd adnoddau crai a ddefnyddir yn y broses weithgynhyrchu'n prinhau. Efallai bydd angen newid y cynllun er mwyn ymateb i hyn.
- **Pryder ynghylch rheoli gwastraff:** dylai'r cymysgedd dylunio ganolbwyntio ar gwtogi ar ddeunyddiau crai ac ynni sy'n cael ei ddefnyddio wrth gynhyrchu'r cynnyrch.
- **Cyrchu moesegol** (*ethical sourcing*): ystyriaethau moesegol wrth ddewis y deunyddiau crai, gallai hyn gynnwys materion fel tâl ac amodau gwaith y gweithlu sy'n cynhyrchu'r deunyddiau, yn ogystal â materion fel cynaliadwyedd.

Cylchred oes cynnyrch

Mae **cylchred oes cynnyrch** (*product life cycle*) yn disgrifio'r gwahanol gyfnodau gwerthu o'r dechrau hyd y diwedd un pryd y bydd yn cael ei dynnu oddi ar y farchnad. Ni fydd pob cynnyrch yn cyrraedd y cyfnod olaf hwn. Mae rhai'n parhau, eraill yn cynyddu neu'n lleihau.

Y prif gyfnodau ar gyfer oes cynnyrch yw:

- **Cyflwyno:** yr ymchwil, datblygu ac yna lansio'r cynnyrch
- **Twf:** pan fydd gwerthiannau'n cynyddu ar eu cyflymaf.

Cymysgedd dylunio
Y cyfuniad o'r tri ffactor sydd eu hangen i greu cynhyrchion llwyddiannus: addas i bwrpas (eu swyddogaeth), eu golwg (estheteg) a chostau cynhyrchu.

Cyngor i'r arholiad

Dylech fod yn gallu nodi a gwerthuso pa agwedd ar y cynnyrch a'i randdeiliaid sy'n berthnasol i gwestiwn. Cofiwch fod bob amser anfanteision yn perthyn i gynhyrchion gwahaniaethol fel costau ychwanegol, felly edrychwch hefyd ar y darlun mwy.

Profi gwybodaeth 2

O'r tair ffactor sy'n ymwneud â chymysgedd dylunio, pa un neu ddwy ffactor fyddai'n flaenoriaethau ar gyfer:

(a) Boeing a'i awyren deithwyr newydd sydd bron yn uwchsonig?

(b) Gucci a'i fag llaw gwerth £4,000 newydd?

(c) Barratt Homes, gyda'i gartrefi newydd ar gyfer pobl sy'n chwilio am eu cartref cyntaf yng nghanol Llundain?

Cylchred Oes Cynnyrch
Y cyfnodau yn siwrnai cynnyrch o'r syniad cychwynnol hyd ddiwedd oes y cynnyrch a'i ddileu o'r farchnad.

- **Aeddfedrwydd:** pan fydd gwerthiannau'n agos at eu brig, ond cyfradd y twf yn arafu.
- **Dirlawnder** (*saturation*)**:** pan fydd pawb sydd am gael y cynnyrch wedi'i gael.
- **Dirywiad:** cyfnod olaf y cylch, pan fydd gwerthiannau'n dechrau gostwng.

Sut mae llunio diagram cylchred oes cynnyrch gan gynnwys strategaethau estyn

- Yn gyntaf, lluniwch y ddwy echelin, gyda'r gwerthiannau ar yr echelin fertigol a'r amser ar yr echelin lorweddol. Sicrhewch eich bod yn eu labelu'n gywir.
- Yna rhannwch yr echelin lorweddol yn gyflwyniad, twf, aeddfedrwydd, dirlawnder a dirywiad, fel y dangosir yn Ffigur 2.
- Yn olaf, tynnwch linell sy'n siartio datblygiad a dirywiad y cynnyrch ar y graff. Mae cynhyrchion yn dilyn patrwm tebyg heblaw pan nad oes modd eu gwerthu o gwbl. Os felly, ni fydd llawer iawn o dwf ar ôl y cyfnod cyflwyno ac yna ceir cwymp byrrach i'r cyfnod dirywio.
- Gellir tynnu llun effaith strategaeth estyn (*extension strategy*) drwy ychwanegu llinell tuag i fyny o ddiwedd y cyfnod aeddfedrwydd, fel y dangosir ar Ffigur 2. Mae hyn yn dangos bod y strategaeth wedi estyn nifer y gwerthiannau o gymharu â'r dirywiad a fyddai wedi digwydd heb unrhyw weithredu gan y busnes.

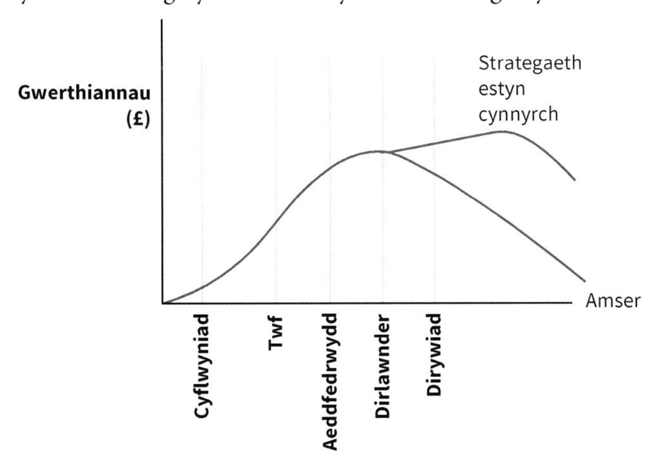

Ffigur 2 Cylchred oes cynnyrch gyda strategaeth estyn

Gwerthuso effaith strategaethau estyn

Mae busnes yn gallu gweld ym mha adeg yn ei gylchred oes y mae cynnyrch drwy edrych ar werthiannau'r cynnyrch o'u cymharu â gwerthiannau blaenorol. Am ei bod yn ddrud iawn dylunio a gweithgynhyrchu cynhyrchion, mae busnesau'n ceisio adennill eu costau drwy gadw gwerthiannau mor uchel â phosibl drwy **strategaethau estyn**, fel:

- Ail leoli'r cynnyrch yn y farchnad gan anelu at farchnad ychydig yn wahanol.
- Newid ffocws yr hyrwyddo, er enghraifft pan newidiodd ffocws hysbysebion *Johnson's Baby Powder* o ganolbwyntio ar fabis i ganolbwyntio ar famau.

Bydd effaith y strategaeth estyn yn dibynnu ar nifer o ffactorau gan gynnwys:

- **Cystadleuwyr:** os yw busnesau eraill eisoes wedi cyflwyno cynhyrchion newydd gallai'r rhain wrthbwyso effeithiolrwydd strategaeth estyn.

Cyngor i'r arholiad

Weithiau, bydd rhai ohonoch yn cynnig strategaethau estyn sydd mewn gwirionedd yn dactegau tymor byr, fel gostwng prisiau. I fod yn strategaeth, rhaid iddi ganolbwyntio ar y tymor canolig i'r tymor hir, h.y. blynyddoedd nid wythnosau neu fisoedd.

- **Cwsmeriaid:** os yw cwsmeriaid yn ffyddlon i'r cynnyrch yna mae strategaeth estyn yn debygol o fod yn fwy effeithiol.
- **Oedran y cynnyrch:** os yw'r cynnyrch wedi dyddio o ddifrif o ran ei olwg neu pa mor gyfoes ydy'r dechnoleg, nid yw strategaeth estyn yn debygol o gael fawr o effaith ar wella gwerthiannau ac atal ei ddirywiad.

Y broblem i fusnes yw bod yr holl ffactorau hyn yn anodd dod i benderfyniad arnyn nhw. Bydd ymchwil rheolaidd i'r farchnad yn cynorthwyo'r busnes i wybod pryd mae cyflwyno strategaeth estyn a sut strategaeth ddylai honno fod.

Profi gwybodaeth 3

Pa fath o strategaeth sy'n berthnasol i gylchred oes cynnyrch a addaswyd ar gyfer *iPhone5s* gan *Apple*.

Y berthynas rhwng cylchred oes cynnyrch a llif arian

Gan gyfeirio'n ôl at Ffigur 2, dyma'r llif arian yn y gwahanol gyfnodau:

- **Cyflwyniad:** bydd llawer iawn o arian wedi'i wario ar ddatblygu a hyrwyddo'r cynnyrch, heb fod llawer o arian wedi'i adennill mewn gwerthiannau. Bydd y llif arian yn negyddol ar hyn o bryd.
- **Twf:** mae llawer o wariant o hyd o ran hyrwyddo'r cynnyrch am ei fod yn newydd i'r farchnad. Fodd bynnag, mae gwerthiannau'n dechrau cynyddu felly ar ryw adeg yn y cyfnod twf, bydd y llif arian yn dechrau troi'n bositif. Cofiwch, nid yw'n debygol bod y cynnyrch wedi gwneud elw eto.
- **Aeddfedrwydd:** bydd llawer llai o arian yn cael ei wario ar hyrwyddo a bydd gwerthiannau ar eu huchaf, gyda llif arian positif i'r busnes.
- **Dirywiad:** bydd llif arian i'r busnes yn gostwng wrth i'r gwerthiannau ddechrau lleihau. Bydd angen i'r busnes benderfynu ar ba adeg y dylai roi'r gorau i werthu'r cynnyrch.
- **Strategaeth estyn:** mae hon yn debygol o gynnwys mwy o lif arian allan o'r busnes ar gyfer mwy o hyrwyddo a/neu nodweddion ychwanegol i'r cynnyrch.

Cylchredau oes cynnyrch ar gyfer gwahanol fusnesau, cynhyrchion a marchnadoedd

Tabl 1 Enghreifftiau o gylchredau oes cynnyrch ar gyfer gwahanol fusnesau, cynhyrchion a marchnadoedd

	Cylchred oes cynnyrch	Strategaethau estyn
Busnesau	**Gweithgynhyrchu** (*manufacturing*): cyfnod cyflwyno hir oherwydd treulio amser ar ddatblygu'r cynnyrch. Mae gan y cyfnodau twf ac aeddfedrwydd fywyd cymharol hir, yn enwedig ar gyfer cyffuriau fel triniaethau canser.	Tueddu i ganolbwyntio ar wella'r cynnyrch cyfredol drwy ychwanegu nodweddion newydd.
	Adwerthwyr: cyfnod cyflwyno byr am fod cynhyrchion eisoes ar gael i'w gwerthu. Bydd twf yn cynnwys hyrwyddo helaeth a chanddo gyfnod amser cymharol fyr. Bydd aeddfedrwydd yn para cyfnod cymharol fyr o amser gan arwain wedyn at ddirywiad oherwydd lansio cynhyrchion newydd.	Canolbwyntio'n drwm ar ddulliau hyrwyddo fel gostyngiadau pris.
Cynhyrchion a marchnadoedd	Mae **ceir** yn tueddu i ddilyn y gylchred oes cynnyrch a ddisgrifir am weithgynhyrchwyr mewn marchnad dorfol. Bydd llawer iawn o amser yn cael ei dreulio ar ddatblygu ac yna cyflwyno'r cynnyrch. Mae twf yn digwydd dros gyfnod o amser, ac aeddfedrwydd yn para 2+ o flynyddoedd. Bydd dirywiad yn digwydd yn gymharol araf.	Cyfuniad o nodweddion ychwanegol a hyrwyddo drwy gynnig disgownt. Datblygu defnyddiau newydd y cynnyrch.
	Mae **ffonau symudol** mewn marchnad dorfol yn tueddu i fod â chylchredau oes cynnyrch byr ac amserau datblygu byr a chyflwyniad cyflym drwy lawer iawn o hyrwyddo. Mae'r twf yn digwydd yn gyflym iawn gyda'r cynnyrch yn cyrraedd aeddfedrwydd ac yn cael ei gadw yno drwy hyrwyddo pellach. Mae dirywiad yn digwydd yn gyflym iawn.	Cynnig disgownt neu dargedu segment newydd o'r farchnad.

Gwerthuso manteision cylchred oes cynnyrch i fusnes a'i randdeiliaid

Dyma fanteision defnyddio cylchred oes cynnyrch:

- **Mae'n helpu busnesau i gynllunio** i wneud yn siŵr bod digon o gynhyrchion ar gael drwy gydol y gwahanol gyfnodau o'r gylchred oes. Felly pan fydd un yn dirywio daw un arall i gymryd ei le.
- **Mae'n galluogi rhanddeiliaid fel perchnogion a chyfranddalwyr i gael data** am y gwahanol gynhyrchion sydd gan fusnes yn y farchnad ac ar y gweill. Bydd hyn yn sicrhau bod yr adenillion am eu buddsoddiad yn cael eu bodloni o hyd.

Dyma rai o'r anfanteision:

- **Anawsterau mewn rhagweld** ym mha gyfnod y mae cynnyrch. Er enghraifft gallai rhai cynhyrchion ddangos dirywiad o ran gwerthiannau, ond hynny dros dro efallai.
- **Newidiadau mewn chwaeth defnyddwyr**, sy'n gallu golygu bod cylchred oes cynnyrch yn llawer byrrach nag a gynlluniwyd yn wreiddiol. Bydd cyfranddalwyr a buddsoddwyr wedi gwario llawer o arian yn datblygu cynnyrch sydd bellach yn wastraff ac yn golled bosibl.
- **Mae'r broses yn ddrud** os oes gan y busnes nifer fawr o gynhyrchion.

Yn y pen draw, mae cylchred oes cynnyrch yn arf defnyddiol i fusnesau a rhandeiliaid, ond ni ddylid dibynnu'n ormodol arno am lwyddiant cynnyrch yn y farchnad yn y pen draw.

Matrics Boston

Gellir dadansoddi portffolio cynhyrchion busnes drwy ddefnyddio **Matrics Boston**. Mae'n gallu helpu busnes i benderfynu ar ei flaenoriaethau gwario ynghylch datblygu a hyrwyddo cynnyrch. Mae matrics Boston yn gosod cynhyrchion yn un o bedwar gwahanol gategori, ar sail y canlynol:

- a oes gan y cynnyrch gyfran uchel neu isel o'r farchnad
- a ydy'r cynnyrch mewn sector â thwf marchnad uchel neu isel

Matrics Boston
Mae'n dadansoddi portffolio cynhyrchion cwmni mewn perthynas â chyfradd twf marchnad a lefel cyfran y farchnad.

Mae Ffigur 3 yn dangos y pedwar gwahanol gategori: elw ar y brig (buwch arian), seren, plentyn trafferthus a ci

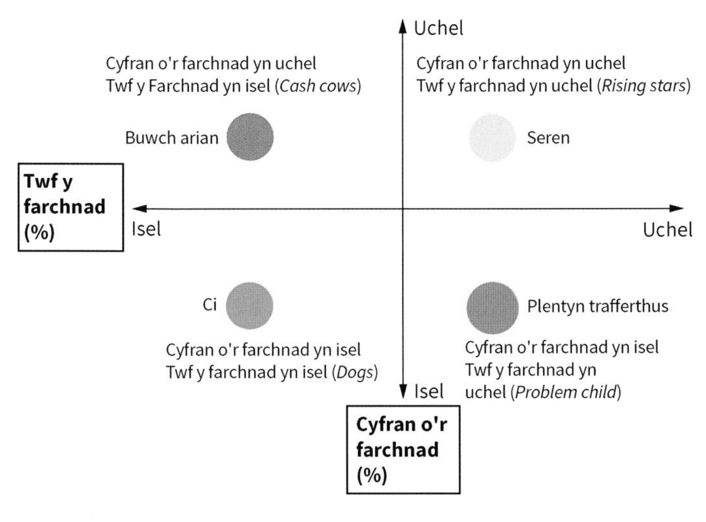

Ffigur 3 Matrics Boston

Mae pedwar categori i Matrics Boston:

- Mae **buchod arian** (*cash cows*) yn gynhyrchion aeddfed twf isel sydd â chyfran y farchnad uchel heb fod angen llawer o fuddsoddi ynddynt.
- Mae gan **sêr** (*rising stars)* gyfran gref o farchnad twf uchel sy'n eu gwneud yn werthfawr iawn. Maen nhw'n broffidiol heddiw gyda'r potensial o fod yn fwy proffidiol yn y dyfodol.
- Mae **plant trafferthus** (***problem children***) yn cynnwys cynhyrchion â chyfran y farchnad isel sy'n gweithredu mewn marchnad twf uchel. Mae ganddynt y potensial i lwyddo gyda'r gefnogaeth a'r buddsoddiad cywir.
- Mae cŵn (*dogs*) yn cynnwys cynhyrchion â chyfran y farchnad isel mewn marchnadoedd twf isel. Gallant gynhyrchu digon o arian i fod yn werth eu gwerthu o hyd, ond prin y mae'n werth buddsoddi ynddynt.

Defnyddir Matrics Boston i benderfynu sut mae rhannu adnoddau marchnata. Yn hytrach na gwario'r un faint ar bob cynnyrch, gallai busnes ddefnyddio'r elw a ddaw o'r cynnyrch llwyddiannus i hybu gwerthiant y cynhyrchion sydd ddim yn gwerthu cystal.

Cyngor i'r arholiad

Fel pob model, mae Matrics Boston yn symleiddio byd cymhleth. Gallai *Cadbury* drin ei frand *Dairy Milk* fel buwch arian, ond mae profiad yn dangos iddo fod y brand yn elwa o hyd ar fuddsoddiad a dim yn dibynnu ar lwyddiant y cynnyrch yn unig.

Gwerthuso defnyddio Matrics Boston i fusnes a'i randdeiliaid

Un o fanteision y matrics yw helpu'r busnes i ddadansoddi ei bortffolio cynhyrchion i weld pa gynhyrchion a allai gynhyrchu'r refeniw gwerthiannau mwyaf. Yna, gellir ei ddefnyddio i helpu cynhyrchion eraill fel plentyn trafferthus.

Un o'r anfanteision yw nad oes modd rhagfynegi sut gallai cynhyrchion berfformio yn y dyfodol. Gallai hyn arwain at fusnes yn gwastraffu arian, er enghraifft ar farchnata.

Profi gwybodaeth 4

Pam ddylai busnes ystyried bod Matrics Boston yn ddull i gynorthwyo cynllunio yn hytrach na dull rhagfynegi cynhyrchion llwyddiannus?

Pris

Pris yw'r swm y mae'r busnes yn ei godi ar y cwsmer am y cynnyrch neu wasanaeth. Mae busnes yn gallu penderfynu ar bris ei gynnyrch drwy edrych ar ffactorau sy'n cynnwys costau cynhyrchu'r cynnyrch, ei ddelwedd brand, y farchnad darged a'r cwsmeriaid targed. Bydd hyn yn helpu'r busnes i lunio strategaeth brisio.

Gwahanol strategaethau a ddefnyddir i bennu'r pris priodol

- Ystyr **prisio cost-plws** yw bod y busnes yn adio costau'r deunydd crai, y llafur a'r gorbenion (*overheads*) am y cynnyrch. Mae hyn yn rhoi'r cost fesul uned, a elwir hefyd yn gost uned. Wedyn mae'r busnes yn adio canran ychwanegiad (i greu maint yr elw) er mwyn creu pris y cynnyrch. Un o fanteision prisio cost-plws yw ei bod yn hawdd ei gyfrifo a gellir cyfiawnhau cynyddu pris pan fydd costau'n cynyddu. Fodd bynnag, mae'n anwybyddu elastigedd pris y galw a sensitifrwydd y cynnyrch i gynnydd prisiau.
- Ystyr **sgimio prisiau** neu **hufennu prisiau** (*price skimming*) yw bod y busnes yn gosod pris uchel cyn i gystadleuwyr eraill gyrraedd y farchnad neu pan maen nhw'n credu bod y cynnyrch newydd yn well nag eraill ar y farchnad. Un o'r manteision yw galluogi mwy o elw gan gwsmeriaid sy'n fodlon talu'r pris premiwm, sef 'mabwysiadwyr cynnar' (*early adopters*). Fodd bynnag, weithiau mae'r strategaeth yn chwalu wrth i gystadleuwyr gyrraedd y farchnad.
- Ystyr **prisio treiddio** (*penetration pricing*) yw bod y busnes yn gosod pris cychwynnol cymharol isel i ddenu cwsmeriaid newydd. Un o'r manteision yw annog cwsmeriaid i newid i'r cynnyrch newydd er mwyn ennill cyfran uwch o'r farchnad. Fodd bynnag, mae lefelau elw'n debygol o fod yn isel, gan ei gwneud yn anodd i'r cynnyrch sefydlu enw da o ansawdd.

Sgimio pris
Gosod pris uchel cyn i gystadleuwyr eraill gyrraedd y farchnad.

Prisio treiddio
Gosod pris cychwynnol cymharol isel — sydd fel arfer yn is na'r pris terfynol er mwyn denu cwsmeriaid newydd.

- Ystyr **prisio cystadleuol** yw bod yn rhaid i'r busnes dderbyn pris cyfredol y farchnad a bod yn 'dderbyniwr pris' (*'price taker'*). Un fantais yw ei fod yn osgoi cystadleuaeth pris, gan alluogi'r busnes i gystadlu mewn ffyrdd eraill fel hyrwyddo. Un anfantais yw bod y pris sy'n cael ei fabwysiadu yn gallu bod mor isel fel nad yw'n talu'r costau cynhyrchu.
- Ystyr **prisio seicolegol** yw bod y pris wedi'i fwriadu i wneud i'r cwsmer gredu bod y cynnyrch yn rhatach nag ydyw mewn gwirionedd, e.e. £9.99 yn lle £10. Un fantais yw'r canfyddiad bod cwsmeriaid yn cael gwerth da am arian, gan annog mwy o refeniw gwerthiannau. Fodd bynnag, gallai'r cwsmeriaid ystyried mai gimig marchnata yw hwn a cholli ffydd yn y busnes.
- Ystyr **prisio cyfraniad** (*contribution pricing*) yw gosod pris sy'n seiliedig ar gostau newidiol gwneud neu brynu'r cynnyrch a cheisio sicrhau bod y pris gwerthu yn talu costau sefydlog y busnes. Y fantais yw bod y cyfraniad a wnaed, sy'n fwy na'r costau newidiol a sefydlog fesul uned, yn golygu bod y busnes yn mynd heibio i'r pwynt adennill elw, gan allu gwneud elw. Fodd bynnag, gallai'r pris a osodir fod yn llawer uwch na phris cystadleuwyr, gan olygu bod cynhyrchion yn annhebygol o werthu.

Prisio cystadleuol
Lle mae grymoedd galw a chyflenwad neu gystadleuaeth gan gynhyrchion tebyg yn golygu bod rhaid i fusnes dderbyn pris cyfredol y farchnad.

Prisio seicolegol
Gosodir y pris i wneud i'r cwsmer gredu bod y cynnyrch yn rhatach nag ydyw go iawn.

Prisio cyfraniad
Prisio sy'n seiliedig ar gostau newidiol gwneud neu brynu'r cynnyrch, gyda'r bwriad o sicrhau bod y pris gwerthu yn talu costau sefydlog y busnes.

Sut mae gwahanol sefydliadau busnes yn defnyddio gwahanol strategaethau prisio

Mae llawer o ffactorau y mae'n rhaid i fusnes eu hystyried wrth ddewis y strategaeth brisio fwyaf priodol:

- **Pwynt gwerthu unigryw (USP):** mae'r cynnyrch yn gyfan gwbl wahanol i unrhyw gynnyrch arall ar y farchnad.
- **Elastigedd pris y galw.**
- **Lefel y gystadleuaeth:** os oes llawer o gynhyrchion tebyg, bydd angen prisio cystadleuol.
- **Cryfder y brand:** os oes gan y busnes ddelwedd gadarnhaol sydd wedi'i hen sefydlu mae ei gynhyrchion yn debygol o fynnu pris premiwm.
- **Cylchredau oes cynnyrch:** os yw'r cynnyrch yn gymharol newydd ac arloesol, gellir hufennu prisiau i sicrhau'r elw mwyaf posibl. Yn ddiweddarach, efallai bydd angen i'r busnes droi at ddull prisio cystadleuol.
- **Costau a'r angen i wneud elw:** os blaenoriaeth allweddol y busnes yw sicrhau bod elw'n cael ei wneud o bob gwerthiant, efallai bydd angen defnyddio prisio cost-plws.
- Mae **gwerthiannau ar-lein a thwf gwefannau cymharu prisiau** wedi'i gwneud yn hawdd i gwsmeriaid gymharu prisiau cynnyrch sy'n cael eu gwerthu drwy amrywiaeth o siopau ar-lein a siopau cyffredin. Mae hyn yn golygu chwilio ar-lein sy'n seiledig ar brisio cystadleuol.

Cyngor i'r arholiad

Mae terminoleg yn bwysig. Os gallwch wahaniaethu'n glir rhwng y gwahanol ddulliau prisio, byddwch yn gallu ysgrifennu dadleuon llawer cryfach.

Gwerthuso pwysigrwydd dewis y strategaeth brisio fwyaf priodol

Mae'n bwysig dewis y strategaeth brisio gywir oherwydd:

- Mae prisio yn elfen hanfodol ym mhenderfyniadau cwsmeriaid ynghylch prynu'r cynnyrch ai peidio.
- Mae angen i'r busnes gael gwybod faint mae'r farchnad darged yn fodlon ei dalu.

Profi gwybodaeth 5

Pam fyddai'n rhaid i *Huawei*, cystadleuydd newydd i ffôn clyfar *Apple*, godi llai nag *Apple* efallai am ei ffôn sy'n debyg o ran eu golwg a'r hyn maen nhw'n wneud.

Dylai'r busnes hefyd roi sylw gofalus i gyfnod y cynnyrch yn ei gylchred oes wrth ddewis strategaeth brisio. Er enghraifft, mae busnes sy'n lansio cynnyrch newydd fel set deledu yn debygol o fabwysiadu strategaeth hufennu prisiau i ddenu cwsmeriaid cynnar.

Fodd bynnag, efallai bydd yn rhaid i'r busnes fabwysiadu strategaeth fel prisio cost-plws er mwyn iddo oroesi, felly prin fydd ei opsiynau mewn gwirionedd. Yn hytrach, bydd busnesau felly'n canolbwyntio ar wahaniaethu cynnyrch, hyrwyddo a gwasanaeth cwsmeriaid i helpu gyda gwerthiannau.

Cyngor i'r arholiad

Mae cylchred oes cynnyrch yn fodel mor amlwg fel nad oes llawer o fyfyrwyr yn ei gymryd o ddifrif. A dweud y gwir, mae'n sail wych i ddadansoddiad da o wahanol ddulliau prisio, er enghraifft, ar wahanol adegau yn y gylchred oes.

Hyrwyddo

Hyrwyddo yw'r ffordd y mae busnes yn rhoi gwybod am ei gynhyrchion i'w gwsmeriaid cyfredol a phosibl. Mae'n golygu cyfathrebu â chwsmeriaid am y cynnyrch a'u perswadio i'w brynu drwy gyfuniad o ddulliau, sef y **cymysgedd hyrwyddo**.

Mae'r dulliau hyrwyddo a ddefnyddir yn dibynnu ar ffactorau fel pa mor hir fu'r cynnyrch ar werth, beth yw'r cynnyrch, cystadleuaeth a'r farchnad darged.

Profi gwybodaeth 6

Pa fath o frand sy'n gallu dewis pris premiwm?

Mae dulliau hyrwyddo'n cynnwys y canlynol:

- **Hyrwyddo uwchlaw'r llinell** sef cyfathrebu rydych yn talu amdano, fel hysbysebu ar y teledu, mewn papurau newydd neu ar y rhyngrwyd. Gellir ei anelu at gynulleidfa benodol ond gall unrhyw un ei weld. Nodau hyrwyddo uwchlaw'r llinell yw hysbysu cwsmeriaid, hybu ymwybyddiaeth a magu safle brand. Fel rheol, mae dulliau uwchlaw'r llinell yn ddrutach am eu bod yn llai penodol.
- **Hyrwyddo islaw'r llinell** lle mae'r busnes â rheolaeth uniongyrchol ar y gynulleidfa darged neu'r gynulleidfa y maen nhw'n ceisio ei thargedu. Ceir llawer o ddulliau hyrwyddo islaw'r llinell, gan gynnwys hybu gwerthiant fel prynu un a chael un am ddim, marchnata uniongyrchol, gwerthu personol a nawdd.

Hyrwyddo uwchlaw'r llinell Cyfathrebu rydych yn talu amdano fel hysbysebu ar y teledu, mewn papurau newydd neu ar y rhyngrwyd.

Hyrwyddo islaw'r llinell Lle mae'r busnes â rheolaeth uniongyrchol ar y cwsmeriaid targed neu'r cwsmeriaid y maen nhw'n ceisio eu targedu.

Gwahanol fathau o strategaethau hyrwyddo

Defnyddir **hysbysebu** gan lawer o fusnesau bach a mawr, gan ddefnyddio cyfryngau fel y teledu, papurau newydd a chyfryngau cymdeithasol (*social media*). Mae'n ddrud hyrwyddo ar y teledu ac nid yw'n ddefnyddiol heblaw i gynhyrchion sy'n cael eu gwerthu mewn marchnad dorfol. Gall busnesau bach ddefnyddio hysbysebion papur newydd, naill ai mewn papur lleol neu bapurau newydd cenedlaethol. Mae cost hysbysebion yn cynyddu yn ôl maint yr hysbyseb ac yn dibynnu a ydy'r gynulleidfa'n un leol, ranbarthol neu genedlaethol. Bydd costau hysbysebu drwy'r rhyngrwyd gan ddefnyddio hysbysebion ar wefannau neu apiau ffôn yn dibynnu ar ba mor soffistigedig ydy'r hysbyseb a maint y farchnad y mae modd iddo ei chyrraedd.

Un o gryfderau hysbysebu yw y gall dargedu cynulleidfa fawr â negeseuon wedi'u paratoi, gan annog cynnydd mawr mewn gwerthiannau. Un anfantais yw bod hysbysebion cenedlaethol yn gallu bod yn ddrud dros ben a bydd angen i'r busnes wario llawer o arian ar ymgyrch barhaus er mwyn sicrhau diddordeb y cwsmer a gwerthiannau.

Mae **marchnata firaol** (*viral*) yn creu hysbysebion sy'n hoelio sylw i'w defnyddio ar gyfryngau cymdeithasol, yn y gobaith y bydd cwsmeriaid yn lledu'r gair. Un fantais yw bod busnesau bach neu fawr yn gallu eu defnyddio, heb fod yr ymgyrch yn costio'r un geiniog. Fodd bynnag, mae ymgyrchoedd yn anodd eu creu ac ni ellir eu hailadrodd, hyd yn oed os ydyn nhw'n llwyddiannus.

Marchnata firaol: Creu hysbysebion cofiadwy sy'n hoelio sylw i'w defnyddio mewn ymgyrchoedd cyfryngau cymdeithasol, yn y gobaith y bydd cwsmeriaid yn rhannu'r hysbysebion.

Bwriad **marchnata emosiynol** yw apelio at anghenion a dyheadau cwsmeriaid drwy ganolbwyntio ar y ffordd y gall cynnyrch wella hunan-barch a/neu hapusrwydd. Gellir ei ddefnyddio gan fusnesau mawr a all fforddio gwario arian ar gyflogi pobl enwog neu sêr y byd chwaraeon neu gan sefydliadau elusennol i annog cymorth ariannol i achos. Y fantais, fel y dangoswyd mewn gwaith ymchwil, yw bod ymatebion emosiynol cwsmeriaid yn aml yn ddull pwerus o'u perswadio yn eu penderfyniadau prynu. Fodd bynnag, mae emosiynau'n anodd eu rhagfynegi ac yn anodd cysylltu â nhw. Heb lawer iawn o ymchwil a chynllunio, gall y math hwn o farchnata fynd o chwith, a gallai'r busnes neu'r cynnyrch gael ei ystyried yn un ffug a heb fod yn ddidwyll.

Marchnata emosiynol Hysbysebu sy'n ceisio apelio at anghenion a dyheadau cwsmeriaid drwy eu hemosiynau.

Cysylltiadau cyhoeddus (PR) yw'r broses o greu a chynnal delwedd gadarnhaol o'r busnes a/neu gynnyrch. Un dull yw **derbyn nawdd**, lle mae busnes yn talu rhywun enwog neu dîm chwaraeon i hysbysebu ei gynhyrchion. Gall hyn gynyddu ymwybyddiaeth am frand a hyrwyddo delwedd gadarnhaol. Fodd bynnag, mae nawdd yn ffordd ddrud o hyrwyddo ac felly mae'n ddull sy'n cael ei ddefnyddio gan gwmnïau mawr. Un enghraifft o ddefnyddio nawdd yn effeithiol yw Monde Nissin yn noddi Mo Farah i fod yn wyneb *Quorn*, sef cynnyrch sydd ddim yn cynnwys cig. Mae gwerthiannau *Quorn* wedi cynyddu 17% ers defnyddio Mo Farah yn eu hysbysebion.

Cyngor i'r arholiad

Byddwch yn amheus o'r wybodaeth sy'n cael ei darparu gan gwmnïau (gan gynnwys erthyglau mewn papur newydd neu flog ar-lein). Mae busnesau'n cyflogi cwmnïau cysylltiadau cyhoeddus i hybu eu delwedd, nid i ddweud y gwir i gyd!

Gwerthuso'r effaith ar fusnes a'i randdeiliaid o ran dewis y strategaeth hyrwyddo gywir

- Gall y strategaeth hyrwyddo gywir greu a gwella cynnyrch a delwedd brand sy'n gwahaniaethu rhyngddo a'i gystadleuwyr. Gall alluogi twf yn ei gyfran o'r farchnad a'r potensial i wneud y cynhyrchion yn llai elastig eu pris.
- Bydd yn llawer haws i staff a rheolwyr werthu cynhyrchion oherwydd teyrngarwch i'r brand, gan arwain at hybu cymhelliant a thâl staff.
- Bydd cyfranddalwyr yn gweld gwerth eu cyfranddaliadau'n cynyddu a gwell difidend.
- Fodd bynnag, mae rhoi digon o amser, arian ac adnoddau mewn cynllunio gweithgareddau hyrwyddo yn holl bwysig i annog cwsmeriaid i brynu a bod yn deyrngar.

Profi gwybodaeth 7

Rhowch un enghraifft o nawdd a gyflawnwyd gan fusnes.

Lle

Ystyr **lle**, neu'r drefn o ddosbarthu ydy'r ffordd y mae busnes yn cael ei gynhyrchion i'w gwsmeriaid. Mae'n golygu sicrhau bod cynhyrchion ar gael i gwsmeriaid yn y lle cywir ar yr amser cywir ac yn y niferoedd cywir.

Sianeli dosbarthu a ddefnyddir gan fusnesau

Sianeli dosbarthu yw ffyrdd o gael cynhyrchion gorffenedig at gwsmeriaid. Y prif ddulliau o ddosbarthu'r cynnyrch yw:

- O'r **cynhyrchwr** i'r **cyfanwerthwr** i'r **adwerthwr** i'r cwsmer. Mae'r cyfanwerthwr yn prynu nifer sylweddol o gynhyrchion gan lawer o gynhyrchwyr nwyddau, gan eu storio a'u dosbarthu i adwerthwyr i'w gwerthu.
- **O'r cynhyrchwr i'r adwerthwr i'r cwsmer.** Mae'r cynhyrchwr yn gwerthu'r nwyddau'n syth i'r adwerthwr, gan hepgor y cyfanwerthwr, gan osgoi talu'r disgownt i'r cyfanwerthwr.

Cynhyrchwr Busnes sy'n cynhyrchu cynhyrchion gwahanol ar gyfer eu gwerthu.

Cyfanwerthwr Busnes sy'n gweithredu fel cyswllt rhwng y cynhyrchwr a'r adwerthwr. Mae'n swmp-brynu ac yn gwerthu i ailwerthwyr yn hytrach na chwsmeriaid.

Adwerthwr Busnes sy'n gwerthu nwyddau neu wasanaethau yn uniongyrchol i'r cwsmer.

- **O'r cynhyrchwr i'r cwsmer.** Mae'r cynhyrchwr yn gwerthu'n uniongyrchol i'r cwsmer, gan osgoi'r cyfanwerthwr a'r adwerthwr. Fel hyn, gall y cynhyrchwr gadw'r holl elw o werthu ei gynhyrchion.
- **Dosbarthu amlsianel,** lle mae busnes yn defnyddio mwy nag un math o sianel ddosbarthu. Er enghraifft, mae *Apple* yn gwerthu ffonau drwy ei wefan gan ddefnyddio e-fasnach, drwy ei siopau ei hun a thrwy adwerthwyr fel *Carphone Warehouse.*

Cyngor i'r arholiad

Weithiau, mae **lle** (dosbarthiad) ddim yn cael digon o sylw ond mae'n bwysig i chi gofio ei fod yn hynod bwysig o fewn byd busnes. Yn eich ateb, ceisiwch gysylltu dosbarthiad ag elfennau eraill y cymysgedd marchnata.

Gwerthuso effaith dewis y sianel ddosbarthu gywir i fusnes

Yr allwedd i lwyddiant cynnyrch penodol ac i allu'r busnes i sicrhau'r elw mwyaf yw dewis y sianel mwyaf addas ar gyfer dosbarthu. Mae'n bwysig bod pob busnes yn ystyried y canlynol:

- **Dewis y cwsmer neu'n hwylus i'r cwsmer.** Gall busnes ddewis nifer o ddulliau dosbarthu er mwyn gwerthu i'r nifer mwyaf posibl o gwsmeriaid.
- **Y ddelwedd mae busnes yn dymuno ei chreu.** Er enghraifft, gallai iogwrt organig newydd gael ei ddosbarthu drwy siopau groser annibynnol a siopau arbenigol.
- **Tueddiadau cymdeithasol.** Mae arferion prynu cwsmeriaid yn gallu newid. Bydd rhaid i fusnes fod yn ymwybodol o hyn gan ddewis sianeli dosbarthu gwahanol os bydd angen.
- **Dosbarthu ar-lein,** mae symudiad cynyddol i brynu ar-lein neu drwy ddefnyddio ffonau symudol (m-fasnach) yn effeithio'n andwyol ar siopau'r stryd fawr.
- **Newidiadau o gynnyrch i wasanaeth.** Er enghraifft, gallai datblygiadau technolegol olygu nad yw cwsmeriaid am brynu eitem ffisegol fel CD ar gyfer gwrando ar gerddoriaeth ond eu bod yn lawrlwytho o'r we drwy ddefnyddio *Spotify* neu *iTunes.*

Penderfyniadau am y cymysgedd marchnata

Pwysigrwydd marchnata byd-eang a brandiau byd-eang

Brand yw marchnata drwy greu enw, symbol neu ddyluniad sy'n nodi cynnyrch ac sy'n ei wahaniaethu oddi wrth gynhyrchion eraill. Mae'r broses yn creu delwedd unigryw i gynnyrch ym meddwl y cwsmer, a hynny'n bennaf drwy ymgyrchoedd hysbysebu â thema gyson.

Y prif fathau o frandio yw:

- **Cynnyrch,** lle mae gan yr eitem logo neu ddeunydd pacio unigryw y mae cwsmeriaid yn gyfarwydd ag ef, fel logo *Adidas.*
- **Personol,** lle mae'r cynnyrch yn gysylltiedig â pherson enwog neu seren o'r byd chwaraeon. Mae'r seren yn trosglwyddo i'r cynnyrch y gwerthoedd cadarnhaol y mae'n ei gyfleu ar gyfer y farchnad darged.
- **Corfforaethol,** lle mae'r busnes yn hysbysebu amrywiaeth eang o ddelweddau cadarnhaol amdano'i hun yn y gobaith y bydd pobl yn ystyried bod yr un rhinweddau'n perthyn i'r cynhyrchion.

Er mwyn cryfhau brand a'i gadw'n berthnasol i gwsmeriaid, rhaid i fusnes sicrhau bod unrhyw hyrwyddo'n adlewyrchu tueddiadau cymdeithasol cyfredol. Gellir defnyddio cyfryngau cymdeithasol i geisio adeiladu cysylltiad rhwng y busnes a'r defnyddiwr. Mae cwmnïau fel y busnes ysgytlaeth *Shakeaway* yn rhoi llawer o sylw i'w tudalennau *Facebook* a'u blogiau, gan annog cwsmeriaid i awgrymu blasau newydd ac maen nhw'n gafalu eu bod yn ateb unrhyw gwestiwn gan y cwsmer.

Os oes gan gynnyrch bwynt gwerthu unigryw (USP) a delwedd brand cryf, efallai bydd y busnes yn gallu codi prisiau premiwm. Gallai llai o elastigedd y galw hefyd olygu bod cryfder y brand yn gwneud cwsmeriaid yn llai sensitif i gynnydd mewn prisiau.

Cyngor i'r arholiad

Pan fydd arholwyr yn sôn am 'greu brand', ystyriwch pwy sy'n elwa. Ydy, mae perchennog y brand yn elwa, ond beth am y defnyddiwr sy'n talu prisiau uchel? A beth am gwmni bach, newydd sy'n ceisio ymuno â marchnad lle mae brand cryf yn trechu? Yn y cyd-destun hwn, mae angen gwerthuso'r gair 'elwa' yn ofalus.

Mae **strategaethau marchnata** yn egluro sut mae'r swyddogaeth farchnata yn perthyn i strategaeth gyffredinol busnes. Mae **marchnata byd-eang** yn ceisio cynyddu gwerthiannau drwy hyrwyddo a hysbysebu i'r farchnad ryngwladol. Bydd y strategaeth farchnata fyd-eang gywir yn dod o hyd i ateb cymwys rhwng amcanion cwmni unigol a'i safle unigryw yn y farchnad yn rhyngwladol. Yn Nhabl 2 ceir enghreifftiau o strategaethau busnes a sut gallai'r rhain gysylltu â strategaethau marchnata byd-eang.

Tabl 2 Strategaethau busnes a'u strategaethau marchnata byd-eang

Strategaeth fusnes	Enghraifft o strategaeth farchnata fyd-eang
Cynyddu gwerthiant	■ Lansio cynhyrchion newydd mewn gwahanol farchnadoedd ■ Dechrau gwerthu cynhyrchion cyfredol i farchnadoedd tramor
Cynyddu elw	■ Cynyddu prisiau gwerthu mewn marchnadoedd tramor ■ Lleihau'r swm sy'n cael ei wario ar hysbysebu byd-eang
Cynyddu ymwybyddiaeth y cwsmeriaid	■ Buddsoddi mwy mewn hysbysebu byd-eang

Mae corfforaethau amlwladol fel *Coca-Cola* yn defnyddio'r un strategaethau marchnata byd-eang ym mhob marchnad y maen nhw'n gwerthu eu diodydd. Mantais hyn yw darbodion maint (*economies of scale*) ar draws marchnadoedd byd-eang, ac fe'u gelwir yn **frandiau byd-eang**. Byddai hwn yn ddull corfforaeth trawswladol, ac fe'i defnyddir hefyd gan geir *Rolls-Royce*, er enghraifft.

Fodd bynnag, mae busnesau'n canfod fwyfwy bod marchnadoedd byd-eang yn fwy soffistigedig a bod cystadleuaeth yn ddwysach. Felly mae cwmnïau rhyngwladol yn ffafrio strategaeth fyd-eang sydd hefyd yn pwysleisio'r lleol sef marchnad fyd-eang-leol (*glocalisation*). Mae'r busnes yn gweithredu'n fyd-eang ond yn addasu hyn i ymateb i anghenion y farchnad leol. Ac felly'r ymadrodd 'meddwl yn fyd-eang, gweithredu'n lleol'. Yr enghraifft fwyaf adnabyddus yw bwytai bwyd cyflym *McDonald's* sy'n addasu eu bwydlenni a'u harferion at chwaeth lleol mewn gwahanol wledydd.

Profi gwybodaeth 8

Sut mae'r ffaith bod *Nike* yn noddi sêr y byd chwaraeon, fel y pêl-droediwr Cristiano Ronaldo, yn ei alluogi i ychwanegu gwerth at ei amrywiaeth o ddillad chwaraeon?

Strategaeth farchnata Sut mae'r swyddogaeth farchnata'n cyfrannu at brif nodau strategol busnes.

Marchnata byd-eang Strategaeth sy'n ceisio cynyddu gwerthiannau drwy farchnata cynhyrchion neu wasanaethau yn rhyngwladol.

Sut bydd y cymysgedd marchnata yn wahanol mewn gwahanol gyd-destunau

Bydd gwahanol fathau o farchnata yn cael eu defnyddio ar gyfer gwahanol farchnadoedd. Mae Tabl 3 yn nodi rhai enghreifftiau o'r gwahanol fathau o ddulliau marchnata y gellir eu defnyddio.

Tabl 3 Enghreifftiau o'r ffordd y bydd y cymysgedd marchnata yn wahanol mewn gwahanol gyd-destunau

Cyd-destun busnes	Y cymysgedd marchnata	Gwerthuso'r cymysgedd marchnata
Busnes lleol, bach	**Cynnyrch** — wedi'i dargedu at anghenion marchnad leol fel bwyd neu nwyddau, e.e. bwydydd anifeiliaid anwes. **Pris** — cystadleuol os oes llawer o gystadleuwyr, fel adwerthwyr papurau newydd, neu hufennu prisiau ar gyfer cynhyrchion arbenigol. **Lle** — drwy ddosbarthiad lleol fel siopau. **Hyrwyddo** — hysbysebion mewn papurau newydd lleol, ar y radio lleol neu *Facebook*, neu ar lafar gwlad.	**Manteision** — cadw costau'n isel. **Anfanteision** — mae'r potensial i gynyddu gwerthiant a chynyddu cyfran o'r farchnad yn gyfyngedig sy'n gallu arwain at lai o elw.
Busnes cenedlaethol, mawr	**Cynnyrch** — wedi'i anelu at ystod fawr o gwsmeriaid ar draws amrediad cymdeithasol a daearyddol amrywiol, e.e. petrol. **Pris** — dibynnu ar y cyfnod cyfredol yng nghylchred oes y cynnyrch, e.e. byddai cynnyrch aeddfed fel petrol yn mabwysiadu prisio cystadleuol. **Lle** — lleoliadau ffisegol lle ceir y nifer mwyaf o gwsmeriaid, e.e. gorsafoedd petrol ar ffyrdd prysur. **Hyrwyddo** — defnydd trwm o hysbysebu drwy'r teledu a phapurau newydd cenedlaethol i sicrhau bod ymwybyddiaeth y gynulleidfa'n cael ei gynnal.	**Manteision** — yn denu'r nifer mwyaf o gwsmeriaid, gan sicrhau cyfran y farchnad a'r twf mwyaf posibl ac, yn y pen draw, yr elw mwyaf posibl. **Anfanteision** — gall cystadleuaeth fod mor ffyrnig fel nad yw gwahaniaethu pris yn bosibl oni bai bod gan gynhyrchion bwyntiau gwerthu unigryw y mae cwsmeriaid yn fodlon talu'n ychwanegol amdanynt.
Busnes byd-eang, mawr	**Cynnyrch** — wedi'i wneud yn fyd-eang-lleol (*glocalised*) efallai oni bai fod ganddo nodweddion sy'n pontio rhwystrau diwylliannol a gwleidyddol, fel *Coca-Cola*. **Pris** — yn gallu amrywio ar draws ffiniau am yr un cynnyrch, e.e. 99¢ am gân ar *iTunes* yn UDA o gymharu â phris uwch 99c yn y DU. Os yw'r farchnad yn newydd ac yn ehangu, gallai'r busnes hufennu prisiau. **Lle** – yn y prif ganolfannau ar gyfer pryniannau cwsmer posibl. Ar gyfer pryniannau ar-lein bydd y ffocws ar gadw stoc mewn warws yn agos i leoliadau poblog. **Hyrwyddo** — hysbysebu drwy deledu a phapurau newydd cenedlaethol.	**Manteision** — bydd darbodion maint prynu (*bulk buying*) sylweddol os byddan nhw'n prynu yr un cynnyrch gan greu sylfaen cost isel. Mae ymwybyddiaeth am frand yn debygol o fod yn uchel, gan arwain at deyrngarwch cwsmeriaid ac ailadrodd pryniannau. **Anfanteision** — mae risg y bydd cynhyrchion yn anaddas i bwrpas mewn gwahanol farchnadoedd. Mae risg uchel o annarbodion maint ac arferion masnach cyfyngol gan lywodraethau er mwyn diogelu busnesau lleol. Mae cwsmeriaid yn gallu colli eu ymddiriedaeth os bydd y gwasanaeth i gwsmeriaid ddim yr hyn oedd y cwsmer yn ei ddisgwyl.
Busnes nwyddau	**Cynnyrch** — mae'r ffocws ar y cymysgedd dylunio a'r deunydd pacio i sicrhau bod y nodweddion yn gwahaniaethu oddi wrth rai eu cystadleuwyr. **Pris** — am gynnyrch newydd neu ddelwedd brand cryf, gellir hufennu prisiau. **Lle** — mae'r pwyslais ar hygyrchedd at y farchnad darged, e.e. cael lle gwerthu ceir yn agos i lwybrau poblogaidd neu warws *Amazon* mewn lleoliad canolog ar gyfer dosbarthu effeithlon. **Hyrwyddo** — bydd strategaeth yn amrywio ar gyfer nwyddau marchnad arbenigol a thorfol.	**Manteision** — ar gyfer adwerthwyr gyda siop neu le gwerthu bydd y pwyslais ar greu gwasanaeth unigryw a phersonol. Bydd hyn yn eu galluogi i godi pris uwch am y cynnyrch ac ennill cyfran uwch o'r farchnad. Ar gyfer cwsmeriaid ar y we mae'r pwyslais ar y brand a'r pris os ydyn nhw am gynyddu gwerthiant. **Anfanteision** – mae angen lle i arddangos a storio nwyddau mewn siop sydd yn ei dro yn cynyddu eu costau. Yn aml, rhaid i fusnesau weithredu prisio cystadleuydd mewn marchnadoedd cystadleuol. Mae hyn yn gallu arwain at lai o elw.

Busnesau sy'n cynnig gwasanaeth	**Cynnyrch** — pwyslais ar wasanaeth cwsmeriaid a phrofiad y cwsmer i sicrhau pwynt gwerthu unigryw i'w gwahaniaethu oddi wrth gystadleuwyr eraill. **Pris** — os yw'r gwasanaeth ar gael yn helaeth, er enghraifft ffrydio cerddoriaeth (*streaming*), defnyddir prisio cystadleuol. Os yw'r gwasanaeth yn cael ei ystyried yn unigryw neu fod ganddo frand arbennig yna bydd yn gallu codi pris uchel i ddechrau ac yna gostwng y pris yn nes ymlaen (sgimio'r pris). Gall hyn arwain at elw da i'r busnes. **Lle** — mae cael mynediad at rwydweithiau cyfrifiadurol poblogaidd a dibynadwy yn hollbwysig i e-adwerthwyr lwyddo. I wasanaethau fel gwallt a harddwch neu gampfa, mae angen i'r busnes fod yn agos i'r gynulleidfa darged, yn enwedig os yw'n cael ei ystyried yn un moethus. **Hyrwyddo** — mae'r dull yn dibynnu a ydy'r gwasanaeth ar gyfer marchnad dorfol neu marchnad arbenigol. Efallai bydd angen gwario mwy ar gyfer gwasanaethau moethus, i sicrhau diddordeb parhaus y cwsmer.	**Manteision** — gall delwedd brand cryf a/neu berthynas bersonol â'r sail gwsmeriaid greu lefelau uchel o deyrngarwch cwsmeriaid, gan alluogi prisiau premiwm ac elw da. **Anfanteision** — mae creu a chadw teyrngarwch brand cryf yn golygu costau hyrwyddo uchel. Os oes gan y gwasanaeth lawer o gystadleuwyr, gallai arloesi ynghyd â phrisio ar sail cystadleuwyr olygu bod elw yn is.
Busnes mewn marchnad arbenigol (cloer)	**Cynnyrch** — bydd y cynnyrch wedi'i gynllunio i anelu at y farchnad arbenigol sydd hefyd yn farchnad lai o faint. **Pris** — bydd yn uwch nag y byddai ar gyfer cynnyrch marchnad dorfol oherwydd y gost uwch o gynhyrchu a'r angen i greu cynnyrch sy'n wahanol ar gyfer y farchnad. **Lle** — bydd yn pwysleisio pwynt gwerthu unigryw'r cynnyrch. **Hyrwyddo** — bydd yn canolbwyntio ar y segmentau llai o'r farchnad darged fel cylchgronau neu wefannau arbenigol. Bydd hyrwyddo'n anelu at bwysleisio pwynt gwerthu unigryw'r cynnyrch er mwyn creu cynnyrch anelastig ei bris.	**Manteision** — bydd gwahaniaethu cynnyrch yn creu anelastigedd pris, gan olygu y gall elw fod yn uchel. Mae teyrngarwch y cwsmer yn debygol o fod yn gryf ynghyd â rhwystrau uchel rhag mynediad i gystadleuwyr newydd posibl. **Anfanteision** — mae'r farchnad ei hun yn debygol o fod yn gymharol fechan felly gallai'r elw cyffredinol fod felly hefyd. Byddai gwasanaeth cwsmeriaid gwael yn golygu gostyngiad mawr mewn gwerthiannau.
Busnes marchnad dorfol (*mass market*)	**Cynnyrch** — mae'r pwyslais ar nodweddion y cynnyrch ac effeithlonrwydd cost am fod y farchnad yn fawr, gyda llawer o gystadleuwyr tebygol. **Pris** — prisio cystadleuol neu dreiddio er mwyn cynnal neu gynyddu cyfran y farchnad. **Lle** — sianeli dosbarthu lluosog gan gynnwys mynediad ffisegol ac ar-lein er mwyn cyrraedd cynifer o gwsmeriaid â phosibl. **Hyrwyddo** — bydd cwmni disgownt fel *Aldi* yn pwysleisio gwerth a phrisiau isel. Bydd eraill yn amlygu cynhyrchion gwahaniaethol yn hytrach na chystadlu ar bris.	**Manteision** — mae'r farchnad bosibl yn fawr felly bydd gwerthiannau'n uchel gyda lefelau refeniw uchel. **Anfanteision** — gallai rhwystrau rhag mynediad fod yn gymharol isel, gan olygu y bydd angen i fusnesau wylio am gystadleuwyr newydd â chynhyrchion gwahaniaethol. Mae lefelau elw'n debygol o fod yn gymharol isel oherwydd gorfod mabwysiadu prisio cystadleuol, heblaw bod y busnes yn arweinydd marchnad.
Busnes i Fusnes	**Cynnyrch** — os yw busnes yn gwerthu i fusnes arall (busnes i fusnes) bydd y cynnyrch yn cael ei gynhyrchu ar y costau lleiaf ond gan gadw anghenion y cwsmer mewn cof. Os ydy'r cynnyrch yn cael ei anelu at y cwsmer efallai y bydd y pwyslais ar elfennau sy'n ychwanegu gwerth. **Pris** — ar gyfer cwsmeriaid busnes i fusnes, bydd y pris yn ystyried arbenigedd y prynwr mewn deall costau. Felly efallai na fydd ganddo gymaint o elw ag un a baratowyd ar gyfer y defnyddiwr, lle gallai sgimio prisiau fod ar waith. **Lle** — ar gyfer cwsmeriaid busnes i fusnes, prin y bydd angen canolfannau adwerthu drud. Yn hytrach, bydd y ffocws ar sicrhau bod y cynnyrch ar gael ar yr amser cywir ac yn y lle cywir. I ddefnyddwyr, gallai swm sylweddol gael ei wario ar y profiad adwerthu. **Hyrwyddo** - i gwsmeriaid busnes i fusnes, bydd ffocws ar gylchgronau a gwefannau masnach a chyhoeddi data technegol i gefnogi'r hyn sy'n cael ei ddweud am y cynnyrch. Gyda defnyddwyr yn y pen draw, defnyddir ystod eang o ddulliau i hyrwyddo gwelliannau.	**Manteision** - ar gyfer gwerthu busnes i fusnes, mae perthynas agos â chwsmeriaid yn sicrhau gwerthiannau. Ar gyfer perthynas â defnyddwyr yn y pen draw, bydd delwedd brand, nodweddion unigryw'r cynnyrch a natur gystadleuol prisiau yn caniatáu cyfran marchnad uwch a meintiau elw mwy. **Anfanteision** - ar gyfer gwerthu busnes i fusnes, mae'r marchnadoedd yn tueddu i fod yn gymharol fechan o ran cwsmeriaid. Felly mae unrhyw broblemau gyda chysylltiadau cwsmeriaid yn golygu bod colli gwerthiannau ac elw sylweddol yn debygol. I ddefnyddwyr yn y pen draw, os yw'r farchnad yn gystadleuol dros ben, bydd angen i'r busnes arloesi'n rheolaidd a bod yn gystadleuol ei brisiau, gan olygu y bydd costau'n uchel a maint yr elw yn fychan.

Technoleg newydd

Technoleg newydd a ddefnyddir mewn marchnata a'i heffaith ar adwerthwyr y stryd fawr

Mae marchnata'n defnyddio technoleg yn y ffyrdd canlynol:

- **Cyfryngau digidol**, gan gynnwys paratoi testun, graffeg, sain a fideo y gellir eu hanfon ar y we, Fel er enghraifft, darlledu'r ffilmiau mwyaf poblogaidd ar lwyfan ffrydio *Netflix*. Caiff hysbysebion eu teilwra mwyfwy i arferion gwylio cwsmeriaid. Maen nhw'n gwneud hyn drwy edrych ar dudalennau rhyngrwyd a hefyd defnyddio apiau pwrpasol fel *Amazon Prime*.
- **Cyfryngau cymdeithasol** y mae'n bosibl eu defnyddio i geisio creu cysylltiad rhwng y busnes a'r defnyddiwr.
- **E-adwerthu** (*e-tailing*), sef adwerthu electronig, yw gwerthu nwyddau a chynhyrchion gwahanol ar y we. Mae technoleg yn newid y ffordd y mae pobl yn prynu. Er enghraifft, byddai'n well gan lawer o gwsmeriaid wylio ffilm trwy wasanaeth ffrydio erbyn hyn na phrynu DVD. Mae angen i fusnesau addasu i'r math hwn o farchnad ddynamig i gynnal mantais gystadleuol.
- **Gwerthu drwy ddefnyddio ffonau clyfar** (m-fasnach): Mwy nag erioed, mae nwyddau a gwasanaethau oedd yn arfer bod ar y stryd fawr yn symud i'r ffôn clyfar. Gall busnesau naill ai weithredu eu gwasanaethau'n gyfan gwbl drwy fasnachu symudol neu, yn fwy tebygol, ei gael ymhlith llawer o sianeli dosbarthu sy'n anelu at fodloni anghenion gwahanol gwsmeriaid.

Gwerthuso effaith technoleg newydd ar weithgareddau marchnata busnesau a'u rhanddeiliaid

Mae technoleg newydd wedi effeithio ar weithgareddau marchnata mewn nifer o ffyrdd:

- Gall **costau** gael eu lleihau'n sylweddol o ran cynhyrchu ymgyrchoedd hysbysebu gan ddefnyddio cyfryngau digidol dros ystod eang o ddyfeisiau.
- Mae'r **gynulleidfa bosibl** i ymgyrchoedd marchnata wedi cynyddu'n sylweddol oherwydd nifer y bobl sy'n gallu cyrchu'r rhyngrwyd a defnyddio e-fasnach ac m-fasnach. Mae marchnadoedd yn haws eu trosi i farchnadoedd byd-eang gyda busnesau'n gallu hyrwyddo cynhyrchion a gwasanaethau'n fyd-eang, yn enwedig y rheini sy'n electronig fel ffrydio cerddoriaeth neu fideos.
- Mae technoleg wedi helpu busnesau i nodi hoffterau cwsmeriaid a'u **harferion prynu**, gan eu galluogi i dargedu cwsmeriaid â chynigion hyrwyddo wedi'u teilwra. Er enghraifft, mae *Tesco Clubcard* yn rhoi talebau arbed arian ar sail arferion gwario cwsmeriaid.
- Fodd bynnag, rhaid i fusnesau wario llawer o arian ar gasglu'r data o wefannau. Mae hyn yn mynnu **buddsoddiad mawr mewn cyfrifiaduron**. Wedyn mae cost gweithgareddau hyrwyddo sy'n gorfod bod yn atebol i newidiadau mewn arferion prynu.

Crynodeb

Ar ôl astudio'r pwnc hwn, dylech fod yn gallu:

- disgrifio marchnata a'i bwysigrwydd a sut orau i farchnata cynnyrch o fewn marchnadoedd gwahanol yn ogystal â sut mae amlygu rhinweddau'r cynnyrch o'i gynharu â chynnyrch arall ar y farchnad
- egluro a gwerthuso prif nodweddion y cynnyrch ar gyfer dewis y cymysgedd gorau o ddulliau marchnata. Mae hyn yn cynnwys brand, gwahaniaethu cynnyrch, cylchred oes cynnyrch a matrics Boston
- egluro a gwerthuso nodweddion allweddol pris, gan gynnwys gwahanol strategaethau prisio a sut gallai busnes fynd ati i ddewis y dull mwyaf addas iddyn nhw
- egluro a gwerthuso elfennau allweddol hyrwyddo, gan gynnwys hyrwyddo uwchlaw ac islaw'r llinell a gwahanol strategaethau y gall busnesau eu defnyddio i hyrwyddo eu cynhyrchion
- egluro a gwerthuso nodweddion allweddol lle, gan gynnwys sianeli dosbarthu, a sut gallai busnesau ddewis y sianeli dosbarthu cywir
- egluro pwysigrwydd marchnata byd-eang a brandiau byd-eang a sut bydd y cymysgedd marchnata yn wahanol mewn gwahanol wledydd a lleoliadau yn y byd
- egluro a gwerthuso effaith technoleg newydd ar y cymysgedd marchnata ac arferion prynu cwsmeriaid

Cyllid

Gwaith yr **adran gyllid** yw:

- paratoi, cadw a chynnal cofnodion ariannol ar gyfer y busnes. Mae hyn yn cynnwys cadw mantolen ariannol sy'n gofnod manwl a rheolaidd o'r gwariant a chofnod o'r arian sy'n dod i mewn trwy werthiannau
- dadansoddi perfformiad ariannol y busnes a helpu rheolwyr i ddeall sefyllfa ariannol y busnes a gwneud y penderfyniadau cywir ar sail hynny
- talu credydwyr a chyflogau gweithwyr

Cyllidebu

Cynllun ariannol yw **cyllideb** (*budget*) sy'n ymwneud â derbyniadau a chostau busnes. Yn ogystal â phrif gyllideb busnes, efallai bydd cyllidebau'n cael eu gosod i wahanol reolwyr sy'n cynrychioli'r swm mwyaf sydd ar gael i wario ar yr eitem honno, e.e. gosod uchafswm ar gostau teithio sydd ddim mwy na £200 y mis heb dderbyn caniatâd gan uwch reolwr i fynd tu hwnt i hynny.

Cyllideb
Cynllun ariannol ar gyfer y dyfodol sy'n disgrifio derbyniadau a chostau'r busnes.

Pwrpas creu cyllideb

Prif bwrpas paratoi cyllideb yw helpu'r busnes i fodloni ei amcanion ariannol. Cyn llunio cyllideb, gwneir rhagolwg o werthiannau/refeniw a **gwariant** ar gyfer y cyfnod dan sylw.

Yna, mae'r busnes yn gallu gwneud y gorau o'r adnoddau sydd ganddo. Dydy'r adnoddau hyn ddim yn ddiderfyn felly mae angen pwyso a mesur yn ofalus pa benderfyniadau a ddaw â'r elw mwyaf i'r busnes.

Dyma rai o fanteision cyllideb i fusnes a'i randdeiliaid

- Bydd yn rhoi cyfle i bob grŵp edrych ar berfformiad busnes a ragfynegwyd ac asesu a yw'r ffigurau a ddefnyddiwyd yn realistig wrth ystyried yr amcanion i'w cyflawni.
- Gellir mesur perfformiad go iawn mewn perthynas â'r gyllideb, gan amlygu unrhyw feysydd sydd wedi amrywio efallai oddi wrth yr hyn a ragwelwyd. Mae hyn yn galluogi'r busnes i ymchwilio i broblemau a'u datrys cyn iddyn nhw effeithio ar y busnes yn y tymor hir.

Gwariant
Yr arian sydd ei angen i redeg y busnes o ddydd i ddydd.

Profi gwybodaeth 9

Rhowch reswm pam na fyddai cyllideb sy'n defnyddio data blaenorol yn gallu bod yn ddefnyddiol iawn ar gyfer lansio cynnyrch newydd.

Dyma rai o anfanteision cyllidebau i fusnes a'i randdeiliaid:

- Gall cyllidebau fod wedi'u seilio ar ragfynegiadau amherffaith neu afrealistig o gostau'r dyfodol, gyda'r busnes yn mynd i fwy o gostau yn y pen draw.
- Os yw'r gyllideb yn rhagfynegi costau mwy nag a geir mewn gwirionedd, gallai annog defnyddio adnoddau'n aneffeithlon, gan greu llai o elw nag a fyddai'n cael ei gyflawni fel arall.

Cyngor i'r arholiad

Er ei bod yn ymddangos mai cyllideb yw'r ffordd ddelfrydol i fusnes gynllunio ei wariant, bydd yr arholwr yn disgwyl i chi gydnabod y gallai anwybyddu amrywiaeth o wahanol safbwyntiau arwain at golli cyfle i'r busnes.

Cyllid busnes

Cyllid yw'r arian sydd ei angen i sefydlu ac ehangu busnes. Mae angen cael cyllid cyfatebol ar gyfer anghenion tymor byr, canolig a hir y busnes.

Ffynonellau cyllid sydd ar gael i fusnesau mawr a'u defnydd mewn gwahanol amgylchiadau

Tabl 4 Dulliau cyllido tymor byr, tymor canolig a thymor hir gydag enghreifftiau o sut y gellir defnyddio'r cyllid

	Tymor byr (o fewn blwyddyn)	Tymor canolig (1 flwyddyn ymlaen ond llai na 5 mlynedd)	Tymor hir (5 mlynedd ymlaen)
Ffynonellau mewnol	■ Elw argadwedig (*retained profit*) ■ Gwerthu asedau **Pwrpas:** helpu i ddatrys problemau llif arian neu ariannu gwaith addasu siop	■ Elw argadwedig ■ Dyledebau (*debentures*) ■ Dyroddiad cyfrandaliadau **Pwrpas:** ariannu gwariant cyfalaf fel peiriannau newydd neu dwf mewn canolfannau adwerthu	■ Elw argadwedig **Pwrpas:** ariannu buddsoddiadau cyfalaf mawr fel adeiladau newydd
Ffynonellau allanol	■ Gorddrafft ■ Cyfalaf menter ■ Prydlesu ■ Grantiau ■ Credyd masnach **Pwrpas:** ariannu problemau llif arian, offer newydd neu ddeunyddiau crai	■ Benthyciadau banc ■ Cyfalaf menter ■ Cyllido torfol ■ Prydlesu ■ Grantiau **Pwrpas:** ariannu offer newydd, neu ymchwil a datblygu a lansio cynhyrchion newydd	■ Benthyciadau banc ■ Dyledebau ■ Cyllido Cymar wrth gymar (*Peer-to-peer*) ■ Cyllido torfol ■ Prydlesu ■ Grantiau ■ Cyfalaf cyfranddaliadau **Pwrpas:** ariannu trosfeddiannu (*takeovers*), cynlluniau ehangu a buddsoddiadau cyfalaf mawr fel ffatrïoedd neu swyddfeydd newydd

Cyllid mewnol: pwysigrwydd a gwerthuso

Mae **cyllid mewnol** yn golygu cyllid o'r tu mewn i'r busnes. Mae sawl ffynhonnell:

- **Cyfalaf y perchennog:** yr arian neu gyfalaf arall y mae'r unigolyn neu'r unigolion sy'n sefydlu'r busnes wedi'i gynilo neu o ffynonellau eraill. Y fantais wrth ddefnyddio cyfalaf y perchennog yw diffyg costau llog (yn wahanol i fenthyciad) a gall fod hyblygrwydd o ran cyflymder ei ad-dalu. Fodd bynnag, efallai na fydd gan y perchennog ddigon o arian i gyllido'r busnes yn ddibendraw. Byddai'n colli'r arian hwn os byddai'r cwmni'n methu.

Cyllid mewnol

Cyllid a ddaw o'r tu mewn i'r busnes.

- **Elw argadwedig** neu **elw cadw** (*retained profit*): yr elw sy'n cael ei gadw yn y busnes yn lle ei dalu i'w berchenogion. Er enghraifft gallai cwmni cyfyngedig dalu **difidend** neu **buddran** i gyfranddalwyr. Mae defnyddio elw argadwedig yn rhatach na chael benthyciad, ac mae gan y busnes hyblygrwydd i benderfynu faint sy'n cael ei ddefnyddio a phryd. Mae gan y perchenogion y dewis i benderfynu beth i'w wneud. Weithiau bydd rhaid iddyn nhw wneud y dewis fydd ddim y mwyaf manteisiol iddyn nhw eu hunain.
- **Gwerthu asedau:** eitemau sy'n eiddo i unigolyn neu fusnes, sy'n cael eu hystyried yn uchel eu gwerth. Un fantais o werthu asedau yw codi arian ond hefyd ni fydd unrhyw gostau pellach yn ymwneud â chynnal yr ased hwnnw. Fodd bynnag, nid oes gan fusnesau bob amser asedau dros ben i'w gwerthu ac mae'n broses araf.

Difidend neu **buddran**
Swm o arian sy'n cael ei dalu gan gwmni i'w gyfranddalwyr allan o'i elw.

Profi gwybodaeth 10

Pryd fydd busnes efallai'n methu defnyddio elw argadwedig?

Cyllid allanol: pwysigrwydd a gwerthuso

Mae **cyllid allanol** yn golygu cyllid o'r tu allan i'r busnes. Gallai ffynonellau gynnwys:

- **Teulu a ffrindiau.** Mae buddion a risgiau defnyddio'r ffynhonnell hon yn debyg i berchennog busnes yn defnyddio ei gyfalaf ei hun. Hefyd, efallai bydd teulu a ffrindiau am gael dweud eu dweud neu gael rhan yn y busnes.
- **Banciau**, sy'n gallu darparu **benthyciad banc** cyfnod penodol yn gyfnewid am ad-dalu'r swm yn ogystal â llog. Un o fanteision benthyciad banc yw lledu ad-daliadau dros gyfnod o amser gyda llai o effaith ar lif arian. Un anfantais yw bydd y banc yn gofyn am dystiolaeth fod y busnes yn gallu ad-dalu'r ddyled yn ôl dros gyfnod o amser. Mae'r llog hefyd yn gallu bod yn uchel.
- **Cyllid cymar wrth gymar**, sef rhoi benthyg arian i fusnesau heb orfod defnyddio banc na **sefydliad** ariannol arall. Mantais y dull cyllido hwn yw bod cyfraddau llog yn tueddu i fod yn llawer is na'r cyfraddau y mae'r banciau'n eu cynnig. Fodd bynnag, mae'n anoddach cael y math hwn o gyllid am fod benthycwyr yn llawer mwy gofalus ynghylch pwy y maen nhw'n benthyg iddyn nhw.
- **Angylion busnes** sef unigolion entrepreneuraidd, cyfoethog sy'n darparu cyfalaf yn gyfnewid am gyfran yn y busnes, er enghraifft cyfranddaliadau mewn cwmni cyfyngedig.
- **Cyllido torfol** lle mae'r busnes yn codi llawer o symiau bach o arian gan nifer fawr o bobl. Un o fanteision y ffynhonnell hon o gyllid yw bod buddsoddwyr llai yn fwy tebygol o fentro. Ond bydd rhaid i'r busnes farchnata ei syniad i fuddsoddwyr yn effeithiol, ac os bydd y prosiect yn methu gallai niweidio enw da'r busnes.
- **Busnesau eraill.** Mae'r buddion a'r problemau yr un fath â'r rhai gydag angylion busnes.

Profi gwybodaeth 11

Pa fath o fusnes a fyddai'n arbennig o addas i gyllido torfol?

Cyngor i'r arholiad

Bydd angen i chi allu adnabod y ffynhonnell fwyaf priodol o gyllid i'r math o fusnes yn y cyd-destun penodol, gan sicrhau eich bod yn gallu rhoi rhesymau o blaid ac yn erbyn ei defnyddio.

Gwahanol ffynonellau cyllid a'u gwerthuso

- **Benthyciadau:** Mae'r manteision a'r anfanteision yn cael eu nodi uchod.
- **Cyfalaf cyfranddaliadau:** cyllid sy'n cael ei godi drwy ryddhau cyfranddaliadau yn gyfnewid am arian, sef ffynhonnell o gyllid nad yw ar gael ond i gwmnïau cyfyngedig. Mantais defnyddio cyfalaf cyfranddaliadau yw diffyg costau llog ac ad-dalu. Fodd bynnag, mae'n ddrud a bydd yn colli rheolaeth a'i elw i fuddsoddwyr.
- **Cyfalaf mentro:** arian sy'n cael ei fuddsoddi mewn busnes lle ceir elfen sylweddol o risg, er enghraifft busnes newydd sy'n cychwyn neu gwmni sy'n ehangu. Y buddion yw bod yr arian ar gael yn gyflym a gallai'r cyfalafwr mentro hefyd roi arbenigedd busnes i helpu i wneud y buddsoddiad yn llwyddiant. Un anfantais yw y bydd angen rhoi cyfran o berchenogaeth y busnes a rhywfaint o'i elw i'r buddsoddwr.

Cyfalaf cyfranddaliadau
Cyllid a godir drwy ryddhau cyfranddaliadau yn gyfnewid am arian.

Cyfalaf mentro
Arian a fuddsoddir mewn busnes lle mae elfen sylweddol o risg.

- **Gorddrafft:** pan fydd banc yn caniatáu i gwmni gymryd mwy o arian allan nag sydd ganddo yn ei gyfrif. Un o fanteision gorddrafft yw'r gallu i'w ddefnyddio i dalu dyledion tymor byr. Ond gall y banc ofyn am ad-daliad ar unrhyw adeg, a chodir lefel uchel o log ar y math hwn o fenthyciad.
- **Prydlesu:** cyfleuster ariannol sy'n caniatáu i fusnes gael offer neu beiriant newydd, e.e. robot i wneud y gwaith yn gyflymach a rhatach. Bydd y busnes yn talu taliadau misol am gyfnod penodol o amser. Un o fanteision prydlesu yw bod y busnes yn gallu talu swm cymharol fach o arian yn y tymor byr am ased. Y broblem wrth brydlesu yw nad yw'r busnes yn berchen ar yr ased, felly rhaid iddo barhau i dalu amdano, y naill fis ar ôl y llall.
- **Credyd masnach:** lle mae cyflenwyr yn dosbarthu nwyddau ac yn fodlon aros am gyfnod cyn cael eu talu, er enghraifft 90 diwrnod. Un o fanteision credyd masnach yw nad oes rhaid i'r busnes dalu am unrhyw nwyddau am gyfnod ar ôl iddyn nhw gael eu dosbarthu, gan ei alluogi i werthu'r nwyddau ymlaen a gwneud elw. Fodd bynnag, mae'n costio i'r busnes weinyddu'r taliadau a dim ond ar gyfer nwyddau a gyflenwir y gellir ei ddefnyddio ac nid, er enghraifft, i ariannu ehangu.
- **Trosglwyddo dyled** (*debt factoring*): Lle mae'r busnes yn gwerthu dyled cwsmer i fusnes arall. Yma, mae anfonebau'r busnes sydd angen credyd yn cael eu trosglwyddo i drydydd parti. Mae'r trydydd parti yn gyfrifol am anfonebu'r anfonebau hynny ac fe fyddan nhw'n derbyn y taliadau. Mae'r busnes sydd wedi benthyg yr anfonebau hynny yn gallu cael benthyciad gan y cwmni am yr anfonebau a drosglwyddwyd iddyn nhw.
- **Grantiau:** wedi'u rhoi gan elusennau neu'r llywodraeth i helpu busnesau i gychwyn, yn enwedig mewn ardaloedd o ddiweithdra uchel. Un fantais fawr yw nad oes rhaid i'r busnes fel arfer dalu unrhyw arian yn ôl. Yr anhawster yw bod grantiau'n gallu bod yn anodd iawn eu cael am fod llawer o fusnesau'n cystadlu amdanyn nhw.

Cyngor i'r arholiad

Mae angen ystyried ffynonellau cyllid o ran y tymor byr, y tymor canolig a'r tymor hir wrth werthuso'r darn sy'n cael ei gynnwys yn yr arholiad, yn enwedig wrth gwblhau'r cwestiwn 20 marc.

Rhagweld llif arian

Llif arian yw symudiad arian i mewn ac allan o fusnes. Gall arian lifo i fusnes o lawer o wahanol ffynonellau, taliadau gan gwsmeriaid, benthyciadau ac arian a gafwyd gan fuddsoddwyr. Gall arian lifo allan o'r busnes am amrywiol resymau, fel taliadau i gyflenwyr, talu cyflogau neu drethi ac ad-dalu benthyciadau banc.

Rhagolwg llif arian yw rhagweld faint o arian sy'n llifo i mewn ac allan o'r busnes dros gyfnod o amser. Mae hyn yn galluogi'r busnes i ragfynegi faint o lif arian net sydd gan y busnes ar unrhyw adeg benodol.

Llif arian
Symudiad arian i mewn ac allan o fusnes.

Rhagolwg llif arian
Cyfrifo faint o arian sy'n llifo i mewn ac allan o'r busnes dros gyfnod penodol o amser.

Rhagweld llif arian – paratoi, dulliau cyfrifo a dehongli

I baratoi adroddiad o lif arian mae'n rhaid:

- Yn gyntaf, mae'n rhaid ystyried yn ofalus sut mae'r busnes yn perfformio. Mae'n rhaid felly edrych ar ddata blaenorol yn ogystal â thueddiadau'r farchnad.
- Yna fe fydd angen edrych ar y gwerthiannau ar gyfer y flwyddyn sydd i ddod, wedi'u paratoi fel arfer fesul mis.
- Yna gwneir amcangyfrif fesul mis o'r llif arian sy'n dod i mewn i'r busnes o werthiannau. Gweler (2) yn Nhabl 5 gyferbyn.
- Yna gwneir amcangyfrif o'r gwariant fesul mis. Gweler (3) yn Nhabl 5.
- Yn olaf, ychwanegir arian o ddechrau'r mis (1) ac yna cyfrifo llif arian net y mis hwnnw (4) a'r llif arian net ar ddiwedd y mis (5).

Tabl 5 Enghraifft o ragolwg llif arian

£000 oedd	Meh	Gorff	Awst	Medi	Hydref	Tachwedd
(1) Balans agor ar ddechrau'r mis	20	25 (6)	20	15	5	10
(2) Mewnlifau arian (Incwm neu gwerthiant)	25	20	25	20	15	25
(3) All-lifau arian	–20	–25	–30	–30	–10	–20
(4) Costau	5	–5	–5	–10	5	5
(5) Balans cau - arian ar ddiwedd y mis	25	20	15	5	10	15

Mae cyfrifo'r llif arian yn Nhabl 5 yn cael ei gwblhau fel hyn:

(1) Arian ar ddechrau mis yw'r arian net sydd ar gael i'r busnes ar ddechrau pob mis. Er enghraifft, mae £20,000 ar gael ym mis Mehefin.

(2) Mae mewnlifau arian yn cynrychioli'r swm o arian mae'r busnes yn ei dderbyn yn ystod y mis hwnnw, e.e. mae'n £25,000 yn ystod mis Mehefin.

(3) All-lifau arian yw'r swm o arian y mae'r busnes yn ei wario yn y mis hwnnw, er enghraifft £20,000 ym mis Mehefin.

(4) Mae'r llif arian net yn cael ei gyfrifo drwy dynnu all-lifau arian o fewnlifau arian yn y mis hwnnw. Er enghraifft, i gyfrifo llif arian net mis Mehefin:

mewnlif arian – all-lif arian = llif arian net

£25,000 – £20,000 = £5,000

(5) Cyfrifir arian ar ddiwedd mis drwy adio'r arian ar ddechrau mis a llif arian net y mis hwnnw. Er enghraifft, i gyfrifo arian mis Mehefin ar ddiwedd mis:

arian ar ddechrau'r mis + llif arian net am y mis = arian ar ddiwedd y mis

£20,000 + £5,000 = £25,000

(6) Caiff yr arian ar ddiwedd y mis ei ddwyn ymlaen wedyn i'r mis nesaf. Er enghraifft daw'r arian ar ddiwedd mis Mehefin, £25,000, yn arian ar ddechrau mis Gorffennaf.

Mae dehongli'r llif arian yn golygu dadansoddi'r ffigurau er mwyn:

- gweld o flaen llaw os oes diffyg ariannol neu elw yn mynd i fod
- sicrhau y gall y busnes fforddio talu cyflenwyr a gweithwyr
- sylwi ar broblemau gyda thaliadau cwsmeriaid wrth i'r rhagolwg annog y busnes i ystyried pa mor gyflym mae cwsmeriaid yn talu eu dyledion
- galluogi rhanddeiliaid allanol fel banciau i weld a fydd y busnes yn bodloni ei amcanion ariannol a chymryd camau priodol os yw'r rhagolwg llif arian yn dangos potensial negyddol ar ddiwedd y mis.

Gwerthuso effaith rhagolygon llif arian a ffyrdd i'w gwella

Gall defnyddio rhagolwg llif arian helpu busnes mewn nifer o ffyrdd:

- Nodi diffyg arian posibl. Gall y busnes chwilio am gyllid wedyn i dalu am y diffyg hwn.

Profi gwybodaeth 12

Ar gyfer busnes newydd, pam mae rhagweld llif arian yn arbennig o anodd?

Cyngor i'r arholiad

Mae angen eich bod yn gallu cwblhau a chyfrifo tabl llif arian wedi'i lenwi'n rhannol ar gyfer cwestiwn arholiad cyfrifo. Am fod y cwestiynau hyn fel arfer yn werth 4 marc, gall eu hateb yn gywir fod yn werth gradd gyfan.

Cyngor i'r arholiad

Mae angen i chi allu gwerthuso rhagolwg llif arian yng nghyd-destun y busnes. Gwnewch yn siŵr eich bod yn defnyddio'r data sy'n cael ei roi i chi fel sail i'ch barn a'ch argymhellion.

- Dull o gymharu refeniw, costau ac elw gwirioneddol gyda'r hyn a ragwelwyd yn y rhagolwg. Y fantais yw bod y busnes yn gallu canfod atebion i broblemau posibl.
- Ystyried a ydy'r busnes yn cyflawni ei **amcanion ariannol** yn y cynllun busnes. Bydd hyn yn galluogi'r busnes i gymryd unrhyw gamau angenrheidiol er mwyn cyflawni'r amcanion hyn. Er enghraifft, trefnu ymgyrch hysbysebu i roi hwb i werthiant.
- Cynorthwyo buddsoddwyr posibl fel banciau a chyfranddalwyr i wneud penderfyniad ynghylch cyllido'r busnes ai peidio. Bydd hyn yn helpu buddsoddwyr i weld y bydd eu buddsoddiad yn y busnes yn cael ei dalu'n ôl.

Amcan ariannol
Nod a osodir gan fusnes sy'n cael ei fesur mewn termau ariannol, fel swm penodol o elw i'w gyflawni erbyn dyddiad penodol.

Cyfyngiadau rhagolwg llif arian

Dyma'r cyfyngiadau:

- nid yw bob amser yn ddibynadwy, a hynny'n bennaf am fod rhaid gwneud tybiaethau am y dyfodol
- bydd digwyddiad fel penderfyniad y DU i adael yr Undeb Ewropeaidd yn effeithio ar y llif arian i mewn ac allan o'r busnes
- ar gyfer busnes newydd, gall fod costau annisgwyl o ran cynhyrchu neu ddosbarthu
- ar gyfer buddsoddwyr posibl, gall y rhagolwg fod yn rhy obeithiol. Efallai nad ydyn nhw wedi ystyried effeithiau annisgwyl ar werthiannau fel enciliad (*recession*), gan arwain at fuddsoddwyr yn colli eu harian.

Cyngor i'r arholiad

Wrth werthuso rhagolwg llif arian edrychwch ar y ffigurau a cheisio asesu a ydy'r busnes wedi rhoi rhagfynegiad realistig o'i gostau a'i werthiannau.

Datganiad incwm

Elw yw'r swm positif a enillir o fuddsoddiad neu weithrediad busnes ar ôl tynnu'r holl dreuliau. Mae elw'n bwysig am ei fod yn gallu bod yn ffynhonnell o gyllid sy'n cael ei gadw o fewn y busnes.

Gellir cyfrifo elw fel a ganlyn:

elw = cyfanswm refeniw – cyfanswm costau

Mae gwybodaeth am refeniw, costau ac elw yn debygol o gael ei pharatoi a'i gwerthuso yn rheolaidd, yn enwedig yn achos busnes newydd, un sydd mewn anhawster ariannol neu un sy'n anelu at ehangu.

Prif gydrannau'r datganiad incwm

Cofnod yw **datganiad incwm** o'r derbyniadau a'r costau a gynhyrchir gan fusnes dros gyfnod penodol (sef blwyddyn fel arfer). Mae'n dangos yr elw neu'r golled a wneir gan y busnes.

Datganiad incwm
Cofnod o dderbyniadau (refeniw) a chostau busnes dros gyfnod penodol, sef blwyddyn fel arfer.

Prif gydrannau'r datganiad incwm yw:

- **Y cyfrif masnachu**, sy'n dangos yr incwm o werthiannau a chostau gwneud y gwerthiannau hynny. Mae'n cynnwys y stoc sy'n cael ei chadw gan y busnes ar ddechrau cyfnod penodol o amser, sef blwyddyn fel arfer.
- **Y cyfrif elw a cholled**, crynhoi'r cyfan o'r refeniw a chostau'r busnes dros gyfnod penodol o amser. Ei nod yw dangos a ydy'r busnes wedi gwneud elw neu golled dros flwyddyn ariannol.
- **Cyfrif dyraniadau** (*appropriation account*), sy'n dangos beth mae'r busnes wedi'i wneud ag unrhyw elw a wnaed, e.e. swm y difidend neu'r buddran a dalwyd i bob cyfranddaliwr neu'r elw sy'n cael ei gadw o fewn y busnes.

Mae'r datganiad incwm yn bwysig oherwydd:

- mae'n galluogi cyfranddalwyr/perchenogion i weld sut mae'r busnes wedi perfformio ac a ydy wedi gwneud elw derbyniol
- mae'n galluogi darparwyr cyllid i weld a ydy'r busnes yn gallu cynhyrchu digon o elw i barhau fel busnes sy'n hyfyw (*viable*)

Wrth edrych ar ddatganiad incwm y cwmni dillad *Ted Baker* ccc (cwmni cyfyngedig cyhoeddus) yn Nhabl 6 gallwn ddehongli a gwerthuso ei effaith fel a ganlyn:

- Roedd y gost o gynhyrchu'r dillad sef cost y **gwerthiannau** yn llai na hanner yr arian a dderbyniwyd drwy werthu'r dillad. O ganlyniad fe wnaeth y cwmni elw crynswth o £273.1 miliwn. Mae hyn yn brawf fod rhanddeiliaid yn y busnes, fel rheolwyr a staff wedi gwerthu'n llwyddiannus a bod ymgyrchoedd marchnata wedi llwyddo.
- Mae cost gwerthiannau yn cynnwys costau sefydlog fel contractau gyda chyflenwyr i wneud cynhyrchion, fel crysau *Ted Baker*, a chostau newidiol, fel y defnydd sydd ei angen i greu'r crysau. Mae cadw costau sefydlog yn isel yn helpu i leihau cost gwerthiannau.
- Costau gorbenion sy'n cynnwys treuliau (*expenses*) yw'r arian sydd ei angen i gynnal siopau *Ted Baker* a'r brif swyddfa. Drwy gadw'r costau hyn mor isel â phosibl gall elw gweithredol fod yn uchel. Bydd hyn yn golygu manteisio ar rentu neu brynu siopau'n rhatach ac edrych ar ffyrdd arloesol o gyflenwi profiad y cwsmer â thechnoleg fwy effeithlon.
- Treth gorfforaeth yw'r prif dreth y mae'r llywodraeth yn ei ddefnyddio i drethu'r elw y mae'r cwmni yn ei wneud. Yn 2020 roedd y dreth hon yn 19% o'r elw. Mae'r llywodraeth fel rhanddeiliad am greu amodau economaidd lle gall busnesau wneud elw uwch, yna gall eu trethu er mwyn talu am y Gwasanaeth Iechyd Gwladol a rhedeg y wlad.
- I randdeiliaid fel cyfranddalwyr ac uwch reolwyr, mae elw net yn bwysig iawn, oherwydd po fwyaf y swm, mwyaf yr adenillion ar eu buddsoddiad sydd ar gael iddyn nhw.
- I werthuso refeniw, costau ac elw, ni ddylai'r busnes, cyfranddalwyr na rhanddeiliaid eraill edrych ar gyfres o ganlyniadau ariannol ar eu pen eu hunain, fel y rheini a ddangosir yn Nhabl 6.

Cost gwerthiannau
Y costau hynny sy'n cynhyrchu'r gwerthiannau'n uniongyrchol, gan gynnwys cost deunyddiau crai, cydrannau, nwyddau a brynir i'w hailwerthu a'r costau llafur uniongyrchol.

Tabl 6 Datganiad incwm 2016 *Ted Baker* plc

Eitem cyfrif	Ffigur (£m)	Dull cyfrifo	Sylw
Refeniw	456.2		Gwerth yr holl werthiannau a wnaed yn y flwyddyn ariannol
Cost gwerthiannau	183.1		Cost y dillad y mae *Ted Baker* yn eu prynu i mewn, sy'n gallu bod yn gostau amrywiol yn ogystal â chostau sefydlog
Elw crynswth	273.1	costau cynhyrchu'r nwyddau	
Gorbenion (costau)	213.8		Cost cynnal y siopau a'r brif swyddfa
Elw gweithredol	59.3	elw crynswth – gorbenion sefydlog	
Cost cyllido net	(0.7)		
Treth gorfforaeth	(14.4)		Yn wahanol i rai, mae *Ted Baker* yn talu trethi
Elw am y flwyddyn (elw net)	44.2	elw gweithredol – cyllido a threth	

- Gall rhanddeiliaid astudio tueddiadau i weld sut mae busnes yn perfformio o gymharu â data blaenorol, fel arfer y 12 mis blaenorol. Dylai'r busnes fod yn gwerthuso ei berfformiad yn rheolaidd, a hynny'n ddyddiol os ydy hynny'n ymarferol, i gadw costau, refeniw ac elw yn unol â'r disgwyliadau. Er enghraifft, refeniw *Ted Baker* yn 2016 oedd £456.2 miliwn, sef mwy na'r £387 miliwn yn 2015, felly dangoswyd gwelliant mawr. Yn 2019 fodd bynnag fe welwyd gostyngiad sylweddol mewn elw.

Cyfrifo elw crynswth ac elw net

Elw crynswth yw refeniw heb y gost i'r busnes o werthu'r cynhyrchion neu wasanaethau. Gellir ei gyfrifo fel a ganlyn:

elw crynswth = cyfanswm y refeniw o'r gwerthiant – cyfanswm y costau cost paratoi'r gwerthiannau

Mae elw crynswth yn bwysig oherwydd mae angen iddo fod yn ddigon uchel i dalu costau sefydlog rhedeg y busnes a gadael rhywfaint o elw net i'r cyfranddalwyr. Er enghraifft, os yw busnes yn gwneud £1,000 o refeniw o werthu ei gynnyrch a'i gost o werthu'r cynhyrchion hynny yw £800 yr elw crynswth yw:

elw crynswth = £1,000 – £800

elw crynswth = £200

Elw net yw'r swm sy'n weddill ar ôl tynnu holl gostau'r busnes o'r refeniw. Gellir cyfrifo hwn fel a ganlyn:

elw net = elw crynswth – cyfanswm costau

Er enghraifft, mae gan fusnes £150 o elw crynswth a £50 o log ar fenthyciad o'r banc, felly'r elw net fyddai:

elw net = £150 – £50

elw net = £100

Gwerthuso ffyrdd y gallai busnes wella ei elw

I gynyddu elw, gall y busnes wneud y canlynol:

- **Cynyddu gwerthiant** drwy werthu mwy neu godi'r pris. Bydd cynyddu gwerthiant yn gwneud y broses gynhyrchu'n fwy effeithiol a fyddai'n arwain at gynnydd mewn elw. Fodd bynnag, i gynyddu'r nifer a werthir bydd angen i'r busnes wario mwy o arian ar hyrwyddo'r cynnych ac ar greu'r cynhyrchion i'w gwerthu.
- **Lleihau costau newidiol** drwy leihau'r costau newidiol am bob uned sy'n cael ei gwerthu. Gellid gwneud hyn drwy ganfod cyflenwr rhatach neu wella ansawdd cynhyrchu fel bod llai o wastraff. Fodd bynnag, gallai defnyddio cyflenwr rhatach arwain at risg gostwng ansawdd y cynnyrch. Gallai hyn olygu bod cwsmeriaid yn llai bodlon ar y cynnyrch a bod y gwerthant yn gostwng mewn gwirionedd.
- **Lleihau'r costau sefydlog** drwy dorri swyddi gweinyddu neu reoli. Mae torri gorbenion dianghenraid yn gwella maint yr elw. Fodd bynnag, gall toriadau staff fynd yn rhy bell ac arwain at ddiffyg bodlonrwydd cwsmeriaid a/neu ostwng ansawdd cynnyrch neu wasanaeth.

Elw crynswth
Refeniw heb y gost o werthu'r cynhyrchion neu wasanaethau.

Elw net
Yr hyn sydd dros ben ar ôl tynnu holl gostau busnes o'i refeniw.

Profi gwybodaeth 13

Os yw elw crynswth yn £500, cost gwerthiannau'n £150 a threuliau gweithredu eraill yn £300, beth yw'r elw net?

Cyngor i'r arholiad

Mae angen i chi allu cymharu elw crynswth, elw gweithredol ac elw net i werthuso beth mae'r ffigurau'n ei ddweud am allu'r busnes i droi gwerthiannau'n elw. Defnyddiwch y darn i ddeall unrhyw broblemau a all fod gan y busnes, fel costau uchel cynhyrchu'r nwyddau neu'r cynnyrch fydd yn cael ei werthu.

Profi gwybodaeth 14

Pam fod busnes sy'n gwerthu nwyddau a chynhyrchion ar gredyd yn gallu bod â mantolen llif arian sy'n gallu creu problem i'r busnes?

Dadansoddi cymarebau

Elw crynswth ac elw net – cyfrifo, dehongli a gwerthuso

Mae pa mor broffidiol yw cwmni sef **proffidioldeb** yn mesur elw mewn termau cymharol, er enghraifft o'i gymharu â refeniw. Mae'n edrych ar allu busnes i wneud elw a gellir ei fesur gan ddau gyfrifiad sef maint yr elw crynswth a maint yr elw net.

Maint yr elw crynswth yw'r cyfrifiad a ddefnyddir i fesur faint o elw mae busnes wedi'i wneud wedi iddo dalu am y gost o gynhyrchu'r nwyddau sydd wedi eu gwerthu. Fe'i defnyddir hefyd i asesu'r cyfraniad a gynhyrchwyd gan bob gwerthiant tuag at dalu am orbenion sefydlog y busnes. Mae gwerth maint yr elw crynswth yn amrywio o'r naill fusnes i'r llall ac o'r naill ddiwydiant i'r llall. Po fwyaf yr elw, mwyaf effeithlon y cwmni. Cyfrifir maint yr elw crynswth fel a ganlyn:

Maint yr elw crynswth Y cyfrifiad a ddefnyddir i fesur faint o'r arian refeniw sydd dros ben ar ôl talu'r costau i gyd.

$$\textbf{maint yr elw crynswth} = \frac{\text{elw crynswth}}{\text{refeniw gwerthiant}} \times 100$$

Er enghraifft, os yw busnes yn gwneud £1,000 o refeniw o werthu ei gynnyrch a'i elw crynswth yw £200, maint yr elw crynswth fyddai:

$$\text{maint yr elw crynswth} = \frac{£200}{£1{,}000} \times 100$$

$$\text{maint yr elw crynswth} = 20\%$$

Mae maint yr elw crynswth, sef 20%, yn golygu bod y busnes, am bob £1 a gynhyrchwyd mewn gwerthiannau, yn gwneud 20c i dalu costau gwerthiannau a threuliau eraill. Os oedd y busnes yn dafarn oedd ddim yn gwerthu rhyw lawer o fwyd, byddai hyn 2% yn uwch na chyfartaledd y DU, sydd tua 18%. Fodd bynnag, os byddai tafarn yn paratoi bwyd yna roedd y busnes hwnnw yn fwy proffidiol ar gyfartaledd yn y DU o 55%. Roedd y dafarn oedd ddim yn paratoi bwyd 35% yn llai proffidiol na'r un oedd yn paratoi bwyd.

Profi gwybodaeth 15

Rhowch un rheswm pam mae gan dafarndai sy'n gwerthu bwyd feintiau elw crynswth uwch na'r rheini nad ydynt yn gwerthu bwyd.

Mantais defnyddio maint yr elw crynswth yw ei fod yn dangos i'r busnes a buddsoddwyr pa mor effeithiol mae'n gwerthu ei gynhyrchion. Fodd bynnag, nid yw'n cynnwys pob cost ac mae'n anodd penderfynu beth sy'n ganran dda oherwydd efallai bod gan y busnes nodweddion unigryw sy'n ei wneud yn annodweddiadol o'r diwydiant.

Mae **maint yr elw net** yn ystyried elw ar ôl treth fel canran o refeniw gwerthiannau. Mae'n fesur pwysig o broffidioldeb cymharol am ei fod yn mesur pa mor effeithiol yw'r busnes yn troi ei werthiannau'n elw. Mae'n edrych hefyd ar ba mor effeithlon mae'r busnes yn cynnal elw gweithredol uchel, a pha mor effeithiol ydyw wrth ychwanegu gwerth yn ystod y broses gynhyrchu.

Profi gwybodaeth 16

Rhowch un rheswm pam gallai busnes fel cwmni sy'n cynhyrchu wats ddrud fod ag elw net uwch na chwmni sy'n cynhyrchu wats rad.

$$\textbf{maint yr elw net} = \frac{\text{elw net}}{\text{refeniw gwerthiant}} \times 100$$

Er enghraifft, os oes gan fusnes elw net o £100 a refeniw o £1,000, cyfrifir maint yr elw net fel a ganlyn:

$$\text{maint yr elw net} = \frac{£100}{£1{,}000} \times 100$$

$$\text{maint yr elw net} = 10\%$$

Os oedd y busnes yn siop ddillad adwerthu byddai maint elw net 10% yn is na chyfartaledd y DU sef 12% yn y farchnad hon. Felly, nid yw'r busnes mor effeithiol yn ychwanegu gwerth a/neu reoli ei gostau o gymharu â'r cyfartaledd. Fodd bynnag, os oedd y busnes yn siop electroneg adwerthu, lle mae cyfartaledd y DU o faint elw net yn 6% ar draws y farchnad, byddai'r busnes yn perfformio'n llawer gwell na'i gystadleuwyr.

Mantais defnyddio maint elw net yw bod y busnes yn gallu mesur pa mor effeithlon mae'n cadw costau i lawr a gall ei ddefnyddio i helpu i bennu strategaethau effeithiol ar gyfer prisio a lleihau costau. Fodd bynnag, nid yw'n nodi sawl gwerthiant a wnaethpwyd ac a ydy'r strategaeth brisio a fabwysiadwyd yn realistig ai peidio.

Cyngor i'r arholiad

Rhowch sylw gofalus i unrhyw ffigurau a gewch mewn cwestiwn gwerthuso. Mae angen i chi feddwl am y math o fusnes cyn rhoi unrhyw farn.

Crynodeb

Ar ôl astudio'r pwnc hwn, dylech fod yn gallu:

- deall rôl yr adran gyllid a phwrpas yr adran honno, manteision ac anfanteision gwahanol fathau o gyllideb
- egluro a pharatoi ffynonellau cyllid mewnol ac allanol gan gynnwys eu defnydd ar gyfer busnes mawr
- egluro, llunio a gwerthuso rhagolwg llif arian ac egluro sut y gall helpu busnes i wella ei berfformiad
- egluro beth yw datganiad incwm a sut mae'n gallu arwain at greu mwy o elw i'r busnes
- cyfrifo, dehongli a gwerthuso elw crynswth ac elw net

Pobl mewn sefydliadau (adnoddau dynol)

Swyddogaeth yr adran adnoddau dynol yw cyflogi a hyfforddi staff a chadw cofnodion o'u perfformiad yn y gwaith. Bydd hyn yn sicrhau bod y busnes yn cadw at reoliadau diogelwch a chyflogaeth, fel hawl gwyliau ac absenoldeb oherwydd salwch, ac yn cynorthwyo rheolwyr i wneud penderfyniadau ar faterion disgyblu a pherfformiad staff.

Newidiadau mewn arferion gwaith

Mae llawer o swyddi'n mynnu bod staff yn gweithio oriau amser llawn, sef naill ai 40 awr neu 37.5 awr yr wythnos. Ond mae dulliau eraill o weithio.

- **Aml-sgilio** yw'r broses o hyfforddi gweithwyr i wneud nifer o wahanol fathau o waith o fewn y busnes sy'n gofyn eu bod angen amrywiaeth o sgiliau. Drwy roi hyfforddiant sgiliau ar gyfer gwahanol fathau o waith bydd y cwmni yn gallu ymateb i wahanol alwadau. I hyn lwyddo mae angen hyfforddi'r staff yn drylwyr.
- Mae **staff rhan-amser** yn gweithio llai o oriau na staff amser llawn. Gellir teilwra oriau mewn adegau o alw mawr gan gwsmeriaid, fel mewn siopau ar y penwythnosau. Fodd bynnag, mae'n gallu cymryd mwy o amser i hyfforddi staff rhan-amser.
- Cyflogir **staff dros dro** gan y busnes am gyfnod penodol i gyflenwi cyfnodau o alw uwch neu absenoldeb staff. Mae'n helpu'r busnes i gadw costau'n isel ac i gwblhau tasg neu dasgau penodol. Bydd angen hyfforddiant ac mae'n bosib y byddan nhw'n llai cynhyrchiol ar y dechrau.

Aml-sgilio
Hyfforddi gweithwyr i wneud gwahanol swyddi yn y busnes, neu i fod â'r sgiliau sydd eu hangen i wneud y tasgau sydd angen eu gwneud o fewn y busnes.

- Mae **oriau hyblyg** yn galluogi staff i amrywio eu horiau gwaith i fodloni anghenion y busnes ac, i ryw raddau, eu hanghenion personol eu hunain. Gall y busnes gyfateb oriau gwaith y staff i gyfnodau o alw gan gwsmeriaid. Fodd bynnag, os yw'r staff yn cael gormod o hyblygrwydd o ran penderfynu eu horiau, efallai na fydd gan y busnes ddigon o staff ar gael pan fydd eu hangen.
- **Cytundeb dim oriau** (*oriau sero*) yw contractau lle nad yw'r busnes yn sicrhau unrhyw waith i'r gweithiwr os na fydd gwaith ar gael gan y cwmni. Mae'r cwmni'n cyflogi gweithiwr am yr oriau pryd mae gwaith ar gael yn unig. Mae hyn yn ei dro yn gallu lleihau costau cyflogi'r busnes. Fodd bynnag, efallai na fydd y gweithiwr mor awyddus i roi o'i orau i'r cwmni os yw'n teimlo nad yw'n ddigon da i roi swydd sefydlog iddo.
- Mae **gweithio gartref** yn golygu bod y gweithiwr yn gwneud y cyfan neu ran o'i swydd gartref heb fod angen mynd i safle'r busnes. Gall hyn alluogi'r busnes i leihau'r gost o ddarparu lle gwaith. Fodd bynnag, efallai bydd staff yn llai cynhyrchiol am nad yw'r gwaith yn cael ei oruchwylio.
- Mae **rhannu swydd** yn galluogi dau weithiwr i rannu cyfrifoldebau a buddion aelod amser llawn o staff. Mae hyn yn galluogi'r cyflogwr i gadw arbenigedd gweithwyr i gyfrannu i lwyddiant y cwmni. Fodd bynnag, bydd angen paratoi cytundeb a threfnu cyflogau ar gyfer dau weithiwr.
- **'Desgio poeth'** (*hot desking*) lle nad oes desg benodol ar gyfer gweithiwr. Bydd pob gweithiwr yn eistedd wrth unrhyw ddesg sy'n wag ar y pryd. Bydd pob desg felly yn cael ei defnyddio bron drwy'r amser. Yr unig anfantais yw bod pawb yn gallu bod i mewn ar yr un pryd felly mae'n rhaid trefnu'r staff yn ofalus.

Cyngor i'r arholiad

Cymharwch fanteision ac anfanteision gwahanol ddulliau staffio i fusnes.

Effaith technoleg newydd ar ddulliau gweithio

Mae effaith technoleg newydd ar ddulliau gweithio yn cynnwys:

- Cynhyrchedd (*productivity*) uwch a gwell ansawdd drwy ddefnyddio prosesau awtomatig sy'n gyflymach ac yn fwy cywir. Mae defnyddio technoleg newydd hefyd yn gallu lleihau'r gost o gynhyrchu pob uned.
- I weithwyr mae mabwysiadu dulliau gweithio newydd yn gallu arwain at ddefnyddio'r staff at dasgau sy'n gofyn am fwy o feddwl yn ogystal â gwella recriwtio, gwella cymhelliad a chadw staff.
- Fodd bynnag, mae llawer o fusnesau wedi ystyried technoleg fel dull o leihau costau yn fwy na gwella amodau gwaith y gweithwyr.

Gwerthuso effaith newid dulliau gweithio ar weithwyr a chyflogwyr

Dyma rai o effeithiau newidiadau mewn dulliau gwaith ar y **gweithwyr**:

- Oriau gwaith mwy hyblyg oherwydd y gallu i weithio gartref a chynnal cyfarfodydd dros y we yn lle teithio i gyfarfodydd.
- Lleihad mewn diwydiannau trwm gyda mwy o bwyslais ar y sector gwasanaethau.
- Y defnydd o beiriannau yn golygu bod llai o bwyslais ar waith ffisegol caled.

- Fodd bynnag, cafwyd symudiad at gontractau tymor byr heb lawer o sicrwydd swydd, a chyflogau is – yr enw sy'n cael ei roi ar hyn yw'r 'economi gig', e.e. *Uber* a *Deliveroo*.
- Mae'r ffaith bod staff bob amser 'yn gweithio' drwy weithio'n rhannol o adref yn golygu eu bod yn gweithio bron drwy'r amser gan greu straen. Mae hyn yn gallu arwain yn y pen draw at absenoldeb o'r gwaith a newid swydd yn aml.

Dyma rai o effeithiau newidiadau mewn dulliau a phatrymau gweithio ar **gyflogwyr**:

- Lleihad yn y costau gan y bydd angen llai o weithwyr gweithgynhyrchu.
- Mae staff yn uwch eu cymhelliant, am fod technoleg yn galluogi patrymau gwaith mwy hyblyg.
- Fodd bynnag, efallai bydd gan staff lawer llai o deyrngarwch ac efallai byddant yn llai cynhyrchiol os gwelir bod yr hyblygrwydd hwn o fudd i fusnes y cyflogwr yn unig, ac nid y staff eu hunain.

Cynllunio'r gweithlu

Ystyr **cynllunio ar gyfer y gweithlu** yw cyflogi'r nifer cywir o staff sydd â'r sgiliau cywir, yn y man cywir ac ar yr adeg gywir, i gyflenwi nodau ac amcanion y busnes. Mae cynllunio'r gweithlu yn cynnwys canfod pa swyddi gwag sydd ar gael, creu disgrifiadau a manylebau swydd, a hysbysebu a hyfforddi aelodau newydd o staff i fod yn rhan gynhyrchiol o'r busnes.

Mae manteision cynllunio'r gweithlu yn cynnwys:

- cyflawni amcanion y busnes yn well
- gallu ymateb i ffactorau allanol yn fwy effeithiol
- ennill mantais gystadleuol

Fodd bynnag, mae cynllunio'r gweithlu yn gallu arwain at doriadau yn nifer y staff sydd eu hangen, e.e. angen llai o weithwyr oherwydd awtomeiddio.

Recriwtio

Recriwtio a dewis yw'r broses o ganfod a chyflogi'r ymgeisydd mwyaf cymwys am swydd, mewn modd amserol a chost effeithiol. Mae recriwtio'n digwydd drwy **broses ddewis**, sef y camau a gymerir i hysbysebu a dewis y gweithiwr cywir i'r swydd sydd ar gael.

Recriwtio mewnol ac allanol

Ystyr **recriwtio mewnol** yw bod y busnes yn ceisio llenwi'r swydd o'i weithlu presennol. Gall hyn roi'r cyfle i weithwyr presennol gael dyrchafiad. Fodd bynnag, gall fod llai o geisiadau am fod y recriwtio'n digwydd o gronfa lai o faint. Yn ymarferol, bydd llai o bobl o fewn y busnes fydd â'r sgiliau angenrheidiol i wneud cais.

Ystyr **recriwtio allanol** yw bod y busnes yn chwilio am ymgeiswyr allanol am swydd wag. Mae gweithwyr newydd yn fwy tebygol o ddod â syniadau newydd i'r busnes a gwella ei fantais gystadleuol. Fodd bynnag, mae'r broses yn ddrutach ac mae'n cymryd hirach i'w chwblhau na recriwtio mewnol, oherwydd bydd y swydd yn cael ei hysbysebu.

Recriwtio a dewis
Y broses o ganfod a chyflogi'r ymgeisydd mwyaf cymwys am swydd.

Recriwtio mewnol
Mae swydd wag yn cael ei llenwi o'r tu mewn i weithlu presennol busnes.

Recriwtio allanol
Mae'r busnes yn recriwtio ymgeisydd o'r tu allan i'w weithlu presennol.

Cyngor i'r arholiad

Cymharwch fanteision ac anfanteision recriwtio allanol a mewnol i fusnes.

Dadansoddiad swydd, disgrifad swydd a manyleb person

Mae recriwtio a dewis yn cynnwys dadansoddi'r sgiliau sydd eu hangen am y swydd (dadansoddiad swydd), paratoi disgrifiad swydd â'r sgiliau angenrheidiol sydd eu hangen ar y person sy'n ymgeisio am y swydd (manyleb y person). Fel arfer, bydd swydd yn cael ei hysbysebu a bydd cyfweliadau'n cael eu cynnal cyn dewis ar sail pwy sy'n ffitio gofynion y swydd orau.

Bydd proses fanwl yn costio mwy i'r cwmni. Fodd bynnag, mae hefyd yn fwy tebygol o fod yn llwyddiannus gan sicrhau bod y person gorau yn cael ei ddewis i'r swydd.

Gwerthuso dulliau priodol o ddewis person ar gyfer swydd

Gellir dewis gweithiwr drwy ddefnyddio sawl dull gwahanol:

- Mae **cyfweliadau** yn gyfle i'r cyflogwr gwrdd ag ymgeiswyr a chael gwybod am eu cymeriad, eu profiad a'u haddasrwydd i'r swydd. Gallant ystyried addasrwydd yr ymgeiswyr a'u gallu i ymateb yn dda i gwestiynau dan bwysau. Caiff yr ymgeiswyr y cyfle i gael gwybod rhagor am y swydd ac i ba raddau y mae'r swydd yn addas iddyn nhw. Fodd bynnag, mae cyfweliadau yn llyncu amser, a'u heffeithiolrwydd yn dibynnu ar sgiliau'r rheini sy'n eu cynnal.
- Mae **cynnig cyfle neu brofiad byr** i weithiwr dreulio amser yn gweithio yn y gwaith yn gallu cynnig adborth gwerthfawr i'r darpar gyflogwr. Bydd hyn yn rhoi profiad go iawn i'r ymgeisydd a chyfle i'r cyflogwr i weld sut mae'r ymgeisydd yn llwyddo gyda'r gwaith. Fodd bynnag, efallai na fydd yn gyfnod digon hir i dderbyn adborth realistig o'r gwaith.
- Mae **profion** yn cynnwys ymgeiswyr yn cwblhau amrywiaeth o brofion ysgrifenedig i asesu eu priodweddau a'u sgiliau, er enghraifft profion tueddfryd (*aptitude tests*) neu brofion personoliaeth. Gall profion fod yn ddefnyddiol i leihau risg (a chost) recriwtio'r ymgeisydd anghywir i'r busnes. Fodd bynnag, gallant greu pryder i ymgeiswyr ac efallai hepgor rhai ymgeiswyr a allai fod yn dda, er enghraifft unigolyn sydd â syniadau gwreiddiol ac sy'n gallu meddwl yn greadigol, ond nad yw efallai'n perfformio cystal dan amodau prawf.
- Amrywiaeth o weithgareddau yw **ymarferion dewis** sy'n profi ymgeiswyr am sgiliau allweddol sy'n ofynnol i'r swydd. Gall hyn gynnwys mynychu canolfan asesu i sefyll profion ysgrifenedig ynghyd â gweithgareddau gweithio mewn tîm a/neu gyflwyno. Mae hyn yn gyfle i'r cyflogwr gasglu rhagor o fanylion am ymgeiswyr, gan eu helpu i ddewis yr unigolyn cywir. Ond gall ymarferion dewis fod yn ddrud i'w cynllunio a'u gweinyddu, gan arwain at gostau uchel iawn.
- Mae **cyfweliadau ffôn** yn debyg i gyfweliadau wyneb-yn-wyneb, gan ofyn cyfres o gwestiynau i ymgeiswyr er mwyn asesu eu haddasrwydd i'r swydd. Gellir defnyddio cyfweliadau ffôn tua dechrau'r broses ymgeisio, i leihau nifer yr ymgeiswyr sy'n cael eu gwahodd i gyfweliadau ffurfiol. Fodd bynnag, am nad yw'r cyflogwr yn cwrdd â'r ymgeiswyr wyneb-yn-wyneb, gall y cyfweliad fod yn llai effeithiol yn canfod rhywun addas i'r swydd.

Gwerthuso pwysigrwydd recriwtio i fusnes a'i randdeiliaid

Mae recriwtio yn holl bwysig i fusnes a'i randdeiliaid am fod proses effeithiol yn gallu lleihau'r costau a'r problemau sy'n gysylltiedig â throsiant (*turnover*) staff.

Mae dod o hyd i'r person iawn i'r swydd yn sicrhau bod gan y busnes y set gywir o sgiliau i fodloni ei amcanion. Bydd cael gweithlu medrus sy'n uchel ei gymhelliant yn helpu'r busnes i gyflawni ei amcanion, gan wella cynhyrchiant ac ansawdd y cynnyrch a gyflenwir.

Fodd bynnag, mae'r broses recriwtio yn un llafurus a drud, ac yn llai gwyddonol nag mae'n ymddangos ar yr olwg gyntaf.

Hyfforddiant

Hyfforddiant yw'r broses lle mae unigolyn yn dysgu sgiliau a gwybodaeth newydd neu'n gwella'r sgiliau a'r wybodaeth sydd ganddo yn barod. Bydd hyfforddi gweithiwr newydd yn aml yn dechau gyda **chyfnod sefydlu** neu gyfnod o **hyfforddiant cynefino** (*induction*), sy'n ei gyflwyno i'r busnes. Yna defnyddir **hyfforddiant penodol i swydd** i wella galluoedd unigolyn i gyfrannu at anghenion y busnes.

Hyfforddiant yn y gwaith yw'r broses o hyfforddi gweithwyr wrth gynnal gweithgaredd, a hynny'n aml yn eu man gwaith. Mae mathau o hyfforddiant yn y gwaith yn cynnwys:

- **Dangos** y dasg neu'r sgil gan rywun sy'n brofiadol ac yn deall ei waith.
- **Hyfforddi** gan aelod arbenigol o staff, gan helpu'r gweithiwr i ddysgu a datblygu'r sgiliau sy'n ofynnol.
- **Cylchdroi swyddi**, lle mae'r gweithwyr yn cael gwahanol swyddi'n olynol, er mwyn iddo fagu profiad o amrywiaeth eang o sgiliau sy'n ofynnol yn y busnes.

Hyfforddiant yn y gwaith
Hyfforddir gweithwyr drwy gyflawni tasgau go iawn, a hynny fel arfer yn y gweithle.

Mae hyfforddiant yn y gwaith yn gost effeithiol i'r busnes am fod y person yn dysgu wrth weithio. Fodd bynnag, gallai'r hyfforddiant fod yn ddibynnol ar yr amser sydd ar gael gan weithiwr arall, sy'n golygu efallai na fydd mor drwyadl â phosibl.

Hyfforddiant i ffwrdd o'r gwaith yw lle mae gweithwyr yn cael eu hyfforddi i ffwrdd o'r swydd mewn lle arall. Er enghraifft, efallai bydd rheolwyr yn mynychu cyrsiau hyfforddi arweinwyr, a nyrsys dan hyfforddiant yn treulio rhywfaint o'u hamser yn y brifysgol yn mynd i ddarlithiau yn ogystal â'u hyfforddiant yn y gwaith mewn ysbytai.

Hyfforddiant i ffwrdd o'r gwaith
Hyfforddiant sy'n digwydd y tu allan i'r gweithle arferol.

Gall hyfforddiant i ffwrdd o'r gwaith ddigwydd mewn sefydliad addysgol fel coleg addysg bellach, neu am gyfnod penodol o amser lle mae'r gweithiwr yn mynd am gwrs mewn coleg neu brifysgol am yr wythnos waith gyfan, sydd weithiau'n cael ei alw'n hyfforddiant bloc.

Gall hyfforddiant i ffwrdd o'r gwaith gynnig amrywiaeth ehangach o sgiliau a/ neu gymwysterau na'r rheini sy'n seiliedig ar faes arbenigedd y busnes ei hun. Fodd bynnag, gall hyfforddiant allanol fod yn ddrud, gan gynnwys costau teithio yn ogystal â chost y cwrs.

Profi gwybodaeth 17

Pam nad ydy hi'n bosib yn aml iawn i gadwyn fwyd fel bwytai *McDonalds* i gynnig hyfforddiant i'r staff yn eu lle gwaith arferol?

Prentisiaethau yw lle mae unigolyn yn cytuno i weithio i fusnes i fagu sgiliau dros gyfnod o amser, a hynny fel arfer am gyfraddau tâl is. Yn draddodiadol gwelwyd prentisiaethau mewn swyddi fel gwaith plymwr. Ond yn fwyfwy fe'u defnyddir hefyd mewn sawl proffesiwn arall fel gwaith cyfreithiol, lle cyfunir addysgu ffurfiol a hyfforddiant yn y gweithle i greu cymhwyster cydnabyddedig. Mae prentisiaethau'n fodd i fusnesau gael staff uchel eu cymhelliant ar gyfer swyddi lefel is. Un broblem yw eu camddefnyddio'n aml er mwyn sicrhau llafur rhad, gan leihau cymhelliant prentisiaid fyddai'n gallu arwain at waith o safon is.

Cyngor i'r arholiad

Cymharwch fanteision ac anfanteision hyfforddiant yn y gwaith ac i ffwrdd o'r gwaith. Cofiwch gysylltu hyn gyda'r ddamcaniaeth fod angen creu cymhelliant ymysg y gweithwyr i roi o'u gorau i'r busnes.

Gwerthuso pwysigrwydd ac effaith hyfforddiant i fusnes a'i randdeiliaid

Mae hyfforddiant yn bwysig am ei fod yn sicrhau bod gan weithwyr y sgiliau, y profiad a'r cymhelliant i helpu'r busnes i gyflawni ei nodau ac amcanion yn llwyddiannus.

- Mae hyfforddiant cynefino'n cyflwyno staff newydd i'r busnes, gan eu helpu i ddeall ei ddiwylliant, ei strwythur, ei weithdrefnau a'u rhan nhw mewn bodloni ei amcanion.
- Bydd gweithwyr yn dod yn fwy cynhyrchiol ac effeithiol yn gynt o dderbyn yr hyfforddiant priodol ar gyfer eu swydd.
- Bydd hyfforddiant da yn cymell staff, a'u sgiliau uwch efallai'n arwain at dderbyn mwy o gyfrifoldeb sy'n gallu arwain at gynnydd mewn cyflog.
- Fodd bynnag, gall hyfforddiant fod yn wariant drud i'r busnes, gan amharu ar y busnes yn ystod y tymor byr.

Gwerthuso

Gwerthuso
System a ddefnyddir gan fusnes i adolygu perfformiad aelodau unigol o staff.

Gwerthuso (*appraisal*) yw system o adolygu perfformiad gweithwyr. Fel arfer, mae ar ffurf trafodaeth rhwng y gweithiwr a'r rheolwr ynghylch amcanion y cytunwyd arnynt yn flaenorol.

Ymhlith y dulliau gwerthuso mae:

- **Asesu gan gydweithiwr**, lle mae'r gweithiwr yn cael ei asesu mewn perthynas â chyfres o safonau y cytunwyd arnyn nhw o flaen llaw. Bydd cyfle gan y cydweithiwr i roi sylwadau adeiladol ar sut y gellir gwella os bydd angen. Gall asesu o'r fath arwain at wella hyder a pherfformiad person. Fodd bynnag, efallai na fydd gan y sawl sy'n cynnal yr asesiad y sgiliau i gyflawni'r dasg yn effeithiol, gan greu anawsterau efallai a lleihau cymhelliant.
- **Hunanasesu**, lle mae'r gweithiwr yn asesu ei berfformiad ei hun, gan amlygu meysydd a wnaed yn dda a'r rheini y mae angen eu gwella. Yn yr un modd ag asesu gan gydweithiwr, gall y dull hwn greu'r teimlad o gymryd cyfrifoldeb fydd yn eu cymell i wella. Ond mae'r anfanteision yn debyg: mae rhai pobl yn ei chael yn anodd bod yn hunanfeirniadol neu gytbwys, gan arwain at rwystredigaeth a lleihau cymhelliant.
- **Adborth 360-gradd**, sef dull gwerthuso sy'n casglu adborth gan nifer o bobl yn y sefydliad, fel cydweithwyr, rheolwyr a chwsmeriaid. Bydd hyn yn rhoi golwg tecach a manylach ar berfformiad y gweithiwr mewn perthynas ag amcanion a osodwyd. Un fantais yw y bydd pawb yn teimlo ei fod yn adolygiad teg a chytbwys, gan fagu mwy o ymddiriedaeth a chymhelliant i weithredu ynghylch meysydd i'w gwella. Yr anfanteision yw bod y broses yn un llafurus ac na fydd y cwmni yn cymryd y cyfan o ddifri. Bydd hynny'n arwain at weithwyr yn colli ffydd yn y broses a'r canlyniadau.

Perfformiad gweithlu

Perfformiad y gweithlu yw'r dulliau a ddefnyddir gan fusnes i asesu ei weithiwr a'i brosesau gwaith er mwyn cynyddu cynhyrchiant a phroffidioldeb.

Cynhyrchiant llafur (*labour productivity*) yw'r hyn sy'n cael ei ddiffinio fel allbwn fesul mewnbwn unigolyn neu beiriant yr awr. Mae'n mesur effeithlonrwydd unigolyn neu beiriant o ran troi mewnbynnau yn allbynnau defnyddiol.

Cynhyrchiant llafur
Mesur o effeithlonrwydd unigolyn neu beiriant o ran troi mewnbynnau'n allbynnau defnyddiol.

Caiff ei gyfrifo fel hyn:

$$\textbf{cynhyrchiant llafur} = \frac{\text{Allbwn fesul awr}}{\text{nifer yr oriau cynhyrchu}}$$

Er enghraifft, os yw busnes yn gwneud 5,000 o gynhyrchion yr awr ac mae'n cymryd 1,250 o oriau i weithiwr i gynhyrchu cymaint â hyn, cyfrifir y cynhyrchiant llafur fel a ganlyn:

$$\text{cynhyrchiant llafur} = \frac{5{,}000}{1{,}250}$$

$$\text{cynhyrchiant llafur} = 4 \text{ uned fesul awr am bob gweithiwr}$$

Mae cynhyrchiant llafur yn fesur defnyddiol, am fod effeithlonrwydd a phroffidioldeb busnes wedi'u cysylltu'n agos â defnydd cynhyrchiol o lafur. Hefyd, er mwyn cadw'n gystadleuol rhaid i fusnes gadw ei gostau mor isel a bo modd.

Trosiant llafur (*labour turnover*) yw'r gyfran o weithlu cwmni sy'n gadael y cwmni'n ystod blwyddyn. Caiff ei gyfrifo fel hyn:

Trosiant llafur
Y gyfran o weithlu busnes sy'n gadael yn ystod blwyddyn.

$$\textbf{trosiant llafur} = \frac{\text{nifer y staff sy'n gadael y cwmni mewn blwyddyn}}{\text{nifer cyfartalog y staff}} \times 100$$

Er enghraifft, os oes 10 o bobl yn gadael cwmni gyda staff o 100, y trosiant llafur fyddai:

$$\text{trosiant llafur} = \frac{10}{100} \times 100$$
$$= 10\%$$

Gall trosiant llafur ddigwydd am lawer o resymau, gan gynnwys ymddeoliad, salwch a busnes yn cau safleoedd gwaith. Mae'r trosiant yn uwch mewn rhai diwydiannau na'i gilydd, e.e. adwerthu a lletygarwch. Mae'n amrywio'n ddaearyddol hefyd: mewn ardaloedd â llawer o ddiweithdra, mae trosiant llafur yn debygol o fod yn is na chyfartaledd y diwydiant, ac i'r gwrthwyneb.

Absenoliaeth yw'r gyfran o weithwyr sy'n absennol o'r gwaith ar ddiwrnod penodol. Po leiaf yw'r nifer sy'n absennol yna y mwyaf effeithiol fydd y busnes. Bydd busnesau'n cynllunio ar gyfer rhai absenoldebau, fel gwyliau, ond gellir osgoi eraill.

Absenoliaeth
Y nifer o weithwyr sy'n absennol o'r gwaith ar ddiwrnod penodol.

Yn ôl adroddiad PriceWaterhouseCooper ym mis Ionawr 2015 (*Absenteeism in the workplace*) roedd cost absenoldebau oherwydd salwch yn £29 biliwn y flwyddyn i fusnesau'r DU. Roedd gweithiwr ar gyfartaledd yn cymryd 9.1 o ddiwrnodau i ffwrdd yn sâl o'i gymharu â chyfartaledd o 4.9 diwrnod yn UDA.

Gwerthuso pwysigrwydd perfformiad y gweithlu i fusnes a'i randdeiliaid

Ymhlith y **ffactorau mewnol** a allai effeithio ar drosiant llafur mae gweithdrefnau recriwtio a dewis gwael a chymhelliant neu arweinyddiaeth aneffeithiol, sy'n arwain at lefelau isel o ymroddiad gweithwyr i'r busnes. Ymhlith y **ffactorau allanol** mae mwy o gyfleoedd cyflogaeth eraill yn yr ardal leol, a gwell cysylltiadau cludiant, sy'n galluogi gweithwyr lleol i deithio'n haws i swyddi eraill.

Mae **effeithiau negyddol** trosiant llafur uchel yn cynnwys costau recriwtio a hyfforddi staff newydd, a cholli cynhyrchiant nes daw staff newydd yn effeithlon wrth eu gwaith. Mae **effeithiau cadarnhaol** trosiant llafur yn cynnwys staff newydd yn cyfrannu syniadau a sgiliau newydd at y busnes. Efallai bydd staff wedi'u recriwtio o'r newydd yn herio gweithdrefnau a dulliau sefydledig sy'n aneffeithlon neu wedi dyddio, gan gael effaith gadarnhaol ar gynhyrchiant.

Cynllunio trefniadol

Cynllunio trefniadol (*organisational design*) yw'r broses o wneud yn siŵr bod y cwmni'n trefnu'r busnes er mwyn gwireddu nodau ac amcanion y busnes. Bydd hyn yn gwella effeithlonrwydd ac effeithiolrwydd y busnes.

Awdurdod yw pŵer unigolyn i ddefnyddio a rhannu adnoddau er mwyn cyflawni amcanion busnes. Er enghraifft, yn achos unig fasnachwyr, yr unigolyn hwn fydd y sawl sy'n rhedeg y busnes.

Cyfrifoldeb yw'r ddyletswydd neu rwymedigaeth i gyflawni a chwblhau tasg i'r safon ofynnol. Er enghraifft, efallai bydd rhaid i weithiwr gwblhau nifer penodol o weithredoedd bob awr mewn llinell cynhyrchu ceir.

Hierarchaeth busnes yw trefn neu lefelau rheolwyr o'r lefelau uchaf i'r isaf. Bydd yr hierarchaeth busnes yn y gadwyn awdurdod, sef y llinell awdurdod o frig i waelod y sefydliad.

Cadwyn awdurdod yw'r ffordd mae'r awdurdod i wneud penderfyniadau yn cael ei drefnu.

Rhychwant rheoli (*span of control*) yw nifer y gweithwyr sy'n gweithio'n uniongyrchol o dan reolwr. Mae rhychwant rheoli naill ai'n llydan neu'n gul. Mae **rhychwant rheoli llydan** (Ffigur 4) yn golygu bod gan weithwyr fwy o bwerau penderfynu yn y busnes, a allai wella lefelau eu bodlonrwydd mewn swydd.

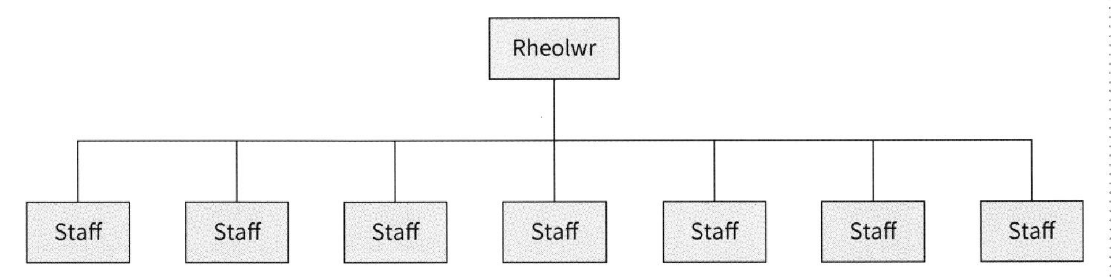

Ffigur 4 Rhychwant rheoli llydan: un rheolwr, nifer o staff

Mae **rhychwant rheoli cul** (Ffigur 5) yn golygu y bydd gan weithwyr lai o bwerau penderfynu oherwydd bydd mwy o reolwyr yn goruchwylio nifer llai o weithwyr. Dylai goruchwyliaeth agosach arwain at reoli gweithgareddau gweithwyr yn well yn unigol ac wrth weithio mewn grŵp mwy o faint.

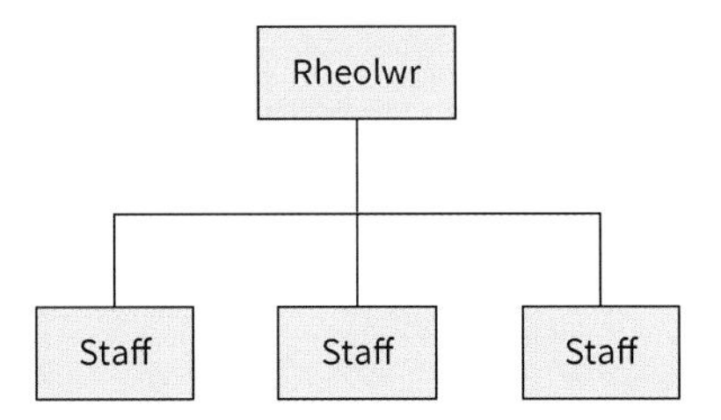

Ffigur 5 Rhychwant rheoli cul: un rheolwr, ychydig o stafff

Hierarchaeth busnes
Y lefelau rheoli o'r lefel uchaf i'r isaf.

Rhychwant rheoli llydan
Mae gweithwyr yn cael mwy o rym i wneud penderfyniadau o fewn y busnes.

Rhychwant rheoli cul
Gweithwyr yn cael llai o awdurdod i wneud penderfyniadau, am fod mwy o reolwyr yn eu goruchwylio.

Profi gwybodaeth 18

Pam mae busnes fel *McDonald's* efallai'n gweithredu rhychwant rheoli cul yn ei fwytai?

Cyngor i'r arholiad

Gall fod yn ddefnyddiol dadansoddi'r gwahanol fathau o strwythur trefniadaethol drwy ddefnyddio theori dwy ffactor Herzberg. Er enghraifft, byddai modd i chi drafod sut mae cryfhau cymelliant gweithiwr yn ei waith yn cymharu gyda sicrwydd swydd o fewn y busnes. Byddai trafodaeth o'r fath yn siŵr o ennill marc uwch.

Strwythurau trefniadol wedi'u canoli a'u datganoli

Ystyr **canoli** yw bod y broses o wneud penderfyniadau'n cael ei chadw yn y canol, heb ei throsglwyddo i rannau eraill ac unigolion o fewn y busnes. Ni fydd staff iau yn gallu cwblhau tasgau nes bod rheolwyr yn rhoi'r awdurdod iddyn nhw wneud hynny.

Mae gan uwch reolwyr fwy o reolaeth ar y busnes a gallan nhw wneud penderfyniadau yn ganolog fydd yn cael eu mabwysiadu gan bawb. Mae hyn yn helpu effeithlonrwydd cost pan fydd y busnes yn elwa ar swmp-brynu deunyddiau crai. Fodd bynnag, efallai na fydd digon o hyblygrwydd i addasu i amrywiadau o ran chwaeth leol, ac efallai bydd staff iau creadigol uchelgeisiol yn cael eu sbarduno i chwilio am swydd yn rhywle arall.

Ystyr **datganoli** yw bod busnes yn rhoi'r awdurdod i wneud penderfyniadau i unedau gweithredu fel siopau neu ffatrïoedd. Caiff rheolwyr lleol ddigon o gyfle i wneud penderfyniadau a allai fod yn eithaf beiddgar ac annisgwyl – syniad gan ddeiliad rhyddfraint oedd *Chicken McNuggets* ac yna cafodd ei fabwysiadu'n fyd-eang. Fodd bynnag, nid yw'r penderfynwr lleol ond yn edrych ar ran fechan o'r busnes ac mae'r busnes yn llai tebygol o elwa ar arbed costau drwy swmp-brynu deunyddiau crai.

Cyngor i'r arholiad

Wrth werthuso canoli neu ddatganoli, cofiwch gysylltu hyn â damcaniaethau cymhelliant ac arweinyddiaeth.

Strwythurau trefniadol tal, fflat a matrics

Mae gan **strwythurau trefniadol tal** lawer o lefelau hierarchaeth a rhychwant rheoli cul. Am fod llawer o haenau rheoli, mae rhagolygon cael dyrchafiad yn dda. Fodd bynnag, gall cyfathrebu drwy'r haenau gymryd amser hir, felly gallai'r busnes fod yn llai ymatebol wrth wneud y newidiadau sydd eu hangen i gadw'n gystadleuol.

Mae gan **strwythurau trefniadol fflat** ychydig o lefelau hierarchaeth a rhychwant rheoli llydan. Mae cyfathrebu'n cymryd ychydig bach o amser felly gall y busnes fod yn fwy ymatebol i'r newidiadau sydd eu hangen i gadw'n gystadleuol. Gall gweithwyr fod â chymhelliant uchel am fod mwy o benderfyniadau'n cael eu **dirprwyo** iddynt, felly gallai cynhyrchiant gynyddu.

Strwythur trefniadol tal Strwythur trefniadol sydd â llawer o lefelau hierarchaeth a rhychwant rheoli cul.

Strwythur trefniadol fflat Strwythur trefniadol gydag ychydig o lefelau hierarchaeth a rhychwant rheoli llydan.

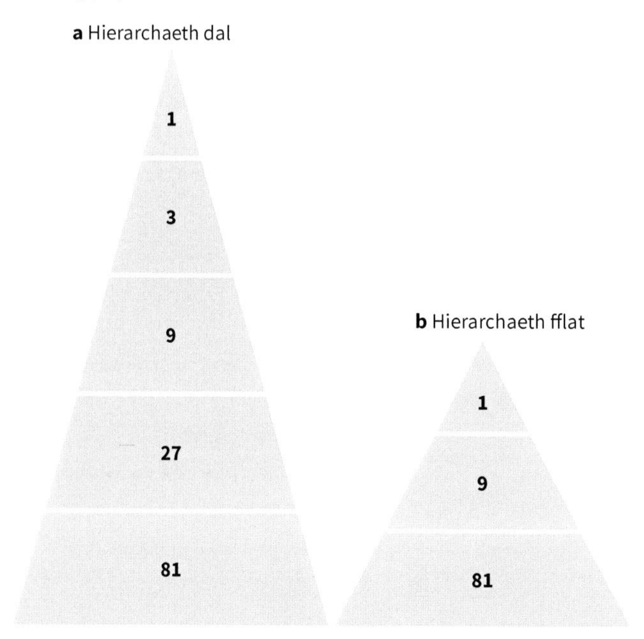

Ffigur 6 Strwythurau trefniadol gyda'r nifer o bobl wedi'i nodi ar gyfer pob lefel o'r hierarchaeth

Strwythur trefniadol matrics yw un lle mae unigolion yn gweithio ar draws timau a phrosiectau yn ogystal ag yn eu hadran eu hunain (gweler Tabl 7). Er enghraifft, efallai bydd staff o'r adrannau cyllid ac adnoddau dynol yn gweithio gyda dylunwyr a staff cynhyrchu ar gynnyrch newydd i gwsmer.

Gall strwythur matrics helpu i chwalu rhwystrau adrannol, gan wella cyfathrebu ar draws y sefydliad cyfan. Fodd bynnag, efallai bydd gan dimau prosiect deyrngarwch rhanedig am eu bod yn atebol i ddau reolwr.

Strwythur trefniadol matrics
Strwythur trefniadol lle gall pobl weithio ar draws timau a phrosiectau yn ogystal ag yn eu hadran eu hunain.

Tabl 7 Strwythur trefniadol matrics

	Marchnata	Gweithrediadau	Cyllid	Adnoddau Dynol (AD)
	Rheolwr marchnata	*Rheolwr gweithrediadau*	*Rheolwr cyllid*	*Rheolwr AD*
Prosiect A (Arweinydd tîm)	Tîm Marchnata (A)	Tîm Gweithrediadau (A)	Tîm Cyllid (A)	Tîm AD (A)
Prosiect B (Arweinydd tîm)	Tîm Marchnata (B)	Tîm Gweithrediadau (B)	Tîm Cyllid (B)	Tîm AD (B)
Prosiect C (Arweinydd tîm)	Tîm Marchnata (C)	Tîm Gweithrediadau (C)	Tîm Cyllid (C)	Tîm AD (C)
Prosiect D (Arweinydd tîm)	Tîm Marchnata (D)	Tîm Gweithrediadau (D)	Tîm Cyllid (D)	Tîm AD (D)

Ystyr **dihaenu** (*delayering*) yw bod busnes yn cael gwared ag un neu ragor o lefelau hierarchaeth o'i strwythur. Fel arfer, mae hyn yn cynyddu'r rhychwant rheoli i reolwyr. Gallai busnes ddihaenu er mwyn torri costau a/neu wella cyfathrebu.

Dihaenu
Pan fydd busnes yn gwaredu un neu ragor o lefelau o'i hierarchaeth.

Manteision ac anfanteision newid strwythurau trefniadol a dihaenu

Manteision:

- Bydd symud i strwythur tal yn galluogi busnes i gael mwy o reolaeth ar weithgareddau staff yn is i lawr yn y sefydliad, sy'n golygu gallu rheoli prosesau ac ansawdd yn fwy effeithiol.
- Mae dihaenu'n gyfle am fwy o rymuso a chyfathrebu gwell a chyflymach, gan arwain at staff mwy cynhyrchiol a chymhelliant uwch.

Anfanteision:

- Nid pob sefydliad sy'n gallu gweithredu'n trefniadol â strwythur matrics neu fflat. Er enghraifft, busnesau â staff sy'n isel eu sgiliau ac sydd angen mwy o oruchwyliaeth.
- Efallai bod strwythurau matrics yn fwyaf addas i fusnesau lle mae staff yn treulio'r rhan fwyaf o'u hamser yn gweithio ar brosiectau. Y risg yw nad oes gan staff fawr o atebolrwydd mewn sefyllfaoedd lle mae timau'n cael eu ffurfio a'u gwasgaru'n gyflym.
- Gall dihaenu neu symud i strwythurau trefniadol fflat arwain at lwyth gwaith gormodol i reolwyr, a staff llai cynhyrchiol wedyn os nad ydyn nhw wedi cael eu hyfforddi'n ddigon da i gyflawni eu rolau ehangach.

Cyngor i'r arholiad

Edrychwch ar y detholiad i sylwi pa strwythur sydd fel petai'n cael ei weithredu gan y busnes, a chwestiynwch ai hwnnw yw'r mwyaf priodol. Mae arholwyr yn canmol myfyrwyr sy'n gallu awgrymu gwell dull i fusnesau na hwnnw a ddangosir yn y detholiad.

Gwerthuso'r dewis rhwng grymuso a rheoli'r gweithlu

Grymuso (*empowerment*) sy'n rhoi'r cyfle i weithwyr ymgymryd â nifer cynyddol o dasgau mewn busnes. Y tasgau yw'r rheini sy'n rhoi mwy o gyfrifoldeb i'r gweithiwr i wneud penderfyniadau a datrys problemau.

Grymuso
Pan roir yr awdurdod, ynghyd â'r sgiliau, adnoddau a chyfleoedd, i weithwyr ymgymryd ag amrywiaeth ehangach o dasgau neu dasgau anoddach.

Mae manteision grymuso'r gweithlu yn gallu cynnwys:

- datrys problemau'n gyflymach am fod gweithwyr sy'n agosach at y problemau'n cael y cyfle i ddod o hyd i atebion
- cynyddu cymhelliant staff, sy'n gallu gwella cynhyrchiant

Mae'r anfantesion o rymuso'r gweithwyr yn gallu cynnwys:

- staff yn cael gwneud penderfyniadau ac ymgymryd â thasgau nad oes ganddyn nhw'r profiad na'r hyfforddiant angenrheidiol ar eu cyfer, gan gynyddu'r risg o gamgymeriadau
- diffyg cydgysylltiad ar draws y busnes os nad yw'r penderfyniadau'n ystyried cyd-destun ehangach gweithgareddau'r busnes, neu benderfyniadau sy'n cael eu gwneud yn rhywle arall yn y cwmni

Cymhelliant

Mae'n bwysig i fusnes gymell (*motivate*) gweithwyr am fod hyn yn gallu arwain at fwy o gynhyrchiant, mwy o greadigrwydd ac, yn y pen draw, mwy o elw. Os na fydd busnes yn cymell eu gweithwyr mae yna berygl o ganlyniadau anffafriol fel trosiant staff uchel neu gynhyrchiant is.

Damcaniaethau cymhelliant

F.W. Taylor (rheoli gwyddonol)

Yn ôl **damcaniaeth Taylor o reoli gwyddonol** mae gweithwyr yn cael eu cymell yn bennaf gan dâl. Mae Taylor o'r farn bod angen goruchwylio staff yn ofalus ac na ddylen nhw ond cyflawni'r mân dasgau y gallan nhw eu hailadrodd yn llwyddiannus. Dylid hefyd talu **cyfradd yn ôl y gwaith** (*piece rate*) i weithwyr, sef swm sy'n cael ei dalu am bob tasg sy'n cael ei gwneud, er mwyn eu cymell i wneud cynifer â phosibl.

Cyfradd yn ôl y gwaith Swm sy'n cael ei dalu am bob tasg sy'n cael ei chwblhau.

Un o fanteision damcaniaeth Talyor yw annog gweithwyr i gynyddu cynhyrchiant. Fodd bynnag, mae gweithwyr Taylor yn debygol o golli cymhelliant oherwydd goruchwylion diflas, gan arwain at drosiant llafur uchel.

Mayo

Mae **Mayo** o'r farn mai anghenion cymdeithasol sy'n cymell gweithwyr (rhywbeth a anwybyddodd Taylor), sef **damcaniaeth perthnasoedd dynol** cymhelliant. Mae'n annog rheolwyr i gymryd mwy o ddiddordeb mewn gweithwyr. Un o fanteision damcaniaeth Mayo yw y dylai bod gan fusnes weithlu uwch ei gymhelliant, gan ei fod yn gwerthfawrogi barn staff ac yn annog gwaith tîm, gan arwain at well cynhyrchiant. Ond nid yw staff bob tro'n rhannu amcanion y busnes, ac nid yw cyfathrebu rhwng gweithwyr a rheolwyr bob amser yn gadarnhaol, a gallai arwain at gynhyrchiant isel.

Hierarchaeth anghenion Maslow

Yn ôl damcaniaeth anghenion Maslow mae pum lefel o anghenion dynol y mae angen eu bodloni i weithwyr yn y gwaith. Mae'r anghenion ar ffurf hierarchaeth – gweler Ffigur 7. Dim ond ar ôl bodloni anghenion lefel is y daw'r anghenion uwch o bwys.

Wrth annog y busnes i greu amgylchedd i staff sy'n bodloni'r gwahanol anghenion hynny, dylai damcaniaeth Maslow helpu'r busnes i gymell staff, gan arwain at gynhyrchiant uwch. Ond mae llawer o feirniaid yn awgrymu ei bod yn amhosibl cyflawni anghenion parch a hunansylweddoli mewn rhai swyddi sgiliau is, fel glanhawyr stryd neu ofalwyr toiledau.

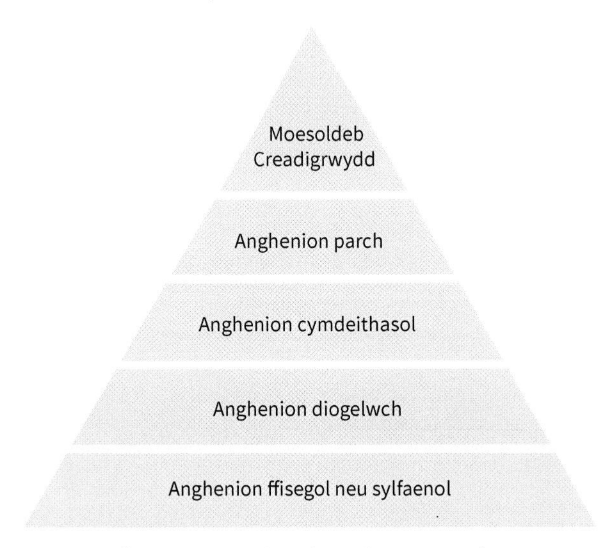

Ffigur 7 Hierarchaeth anghenion Maslow

Damcaniaeth dwy ffactor Herzberg

Yn ôl damcaniaeth cymhelliant **Herzberg**, mae rhai ffactorau **(cymhellwyr)** yn rhoi bodlonrwydd mewn swydd sy'n annog gweithwyr i weithio'n galetach, fel cyfrifoldeb a chydnabyddiaeth am gyflawniad. Mae set wahanol o ffactorau **(ffactorau hylendid)** yn achosi anfodlonrwydd mewn swydd. Roedd Herzberg yn credu nad oedd tâl yn gymhellwr, ond yn ffynhonnell o anfodlonrwydd mewn swydd yn unig, os oedd y tâl yn rhy isel. Os felly, gallai staff fynd ar streic neu'n elyniaethus yn y gweithle.

Profi gwybodaeth 19

Enwch un o'r manteision i *Google* o ddefnyddio damcaniaeth anghenion Maslow i'r gweithwyr hynny sy'n dylunio cynhyrchion newydd.

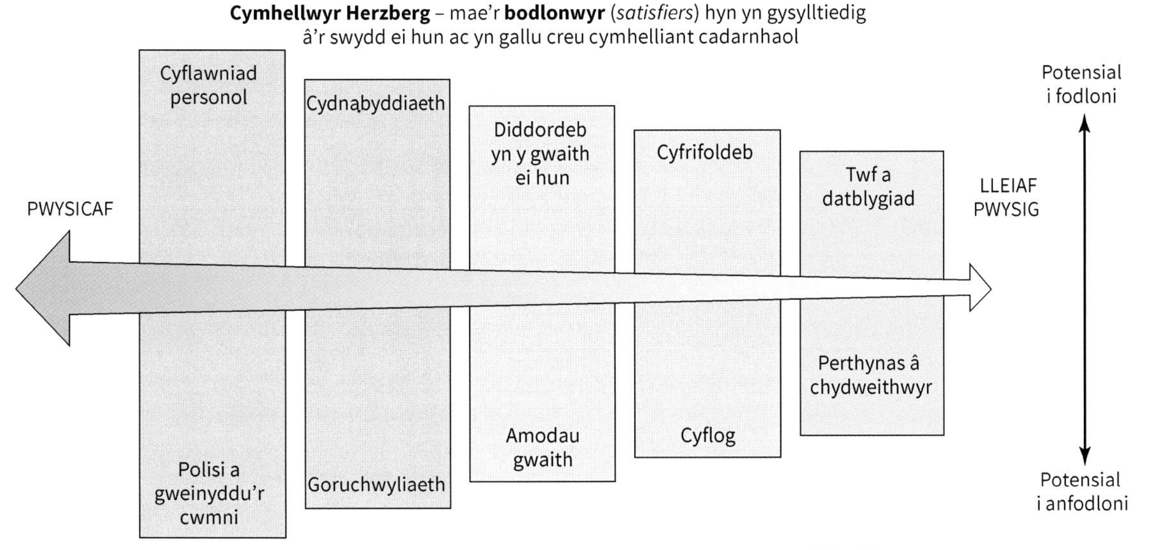

Ffigur 8 Ffactorau hylendid a chymhelliant Herzberg

Yn ôl damcaniaeth Herzberg, byddai canolbwyntio ar dasgau ystyrlon yn hyrwyddo lefelau uwch o gymhelliant a chynhyrchiant. Fodd bynnag, mae hyn yn rhagdybio bod cyswllt rhwng bodlonrwydd mewn swydd a chynhyrchiant, sy'n dybiaeth a gwestiynwyd ers hynny.

Damcaniaeth disgwyliad Vroom

Yn ôl **damcaniaeth disgwyliad Victor H. Vroom**, mae cymhelliant gweithiwr yn ganlyniad i'r graddau y mae unigolyn am gael ei wobrwyo. Mae'r ddamcaniaeth yn seiliedig ar y farn bod gweithwyr yn penderfynu'n ymwybodol pa mor dda i wneud swydd. Mae hyn ar sail y berthynas rhwng ymdrech a pherfformiad, sef y tebygolrwydd y bydd ymdrechion yr unigolyn yn cael eu cydnabod gan y busnes. Mae hefyd yn seiliedig ar y berthynas rhwng perfformiad a gwobr, sef y graddau y mae'r gweithwyr yn credu y bydd perfformiad da yn arwain at wobr. Roedd Vroom yn credu hefyd fod perthynas rhwng gwobrau a nodau personol, sy'n ymwneud ag atyniad y gwobrau posibl i'r unigolyn. I gymell staff, dylai busnesau sicrhau bod swyddi'n ddiddorol ac yn heriol a bod perfformiad yn cael ei wobrwyo.

Damcaniaeth disgwyliad Porter a Lawler

Ehangodd **damcaniaeth disgwyliad Porter a Lawler** ddamcaniaeth Vroom drwy rannu gwobr yn ddau gategori: gwobr **gynhenid** (*intrinsic*), sef y teimladau cadarnhaol y gallai unigolyn eu cael ar ôl cwblhau tasg yn dda, neu **anghynenid** (*extrinsic*), sef bod gwobr yn dod o'r tu allan i'r unigolyn, fel bonws. Nododd Porter a Lawler hefyd bod gallu unigolyn i berfformio tasg a'i ganfyddiad ohoni yn effeithio ar gymhelliant.

Un o gryfderau damcaniaeth disgwyliad yw ei bod yn seiliedig ar hunanddiddordeb (*self-interest*) y gweithiwr. Bydd am sicrhau'r bodlonrwydd mwyaf posibl a'r anfodlonrwydd lleiaf posibl o ran cael neu beidio â chael gwobrau. Fodd bynnag, mae'r ddamcaniaeth yn anwybyddu'r realiti fod llawer o fusnesau'n cynnig gwobrau nad ydynt yn gysylltiedig â pherfformiad yn unig, ond a allai ddibynnu ar safle'r unigolyn yn y busnes neu ei gyrhaeddiad addysgol.

Gwerthuso damcaniaethau cymhelliant a'u pwysigrwydd i fusnesau

Mae damcaniaethau cymhelliant yn bwysig i fusnesau am eu bod yn cynnig atebion i reolwyr i'w helpu i gynyddu ansawdd, cynhyrchedd ac effeithlonrwydd staff drwy ddulliau ariannol neu ddulliau eraill sydd ddim yn cynnwys arian.

Fodd bynnag, nid yw'r damcaniaethau'n darparu unrhyw arweiniad ynghylch pryd ac o dan pa amgylchiadau y dylid eu defnyddio. Hefyd bydd llwyddiant unrhyw ymgais at eu defnyddio yn cael ei ddylanwadu gan ffactorau fel yr hyn sy'n cymell y gweithwyr eu hunain yn bersonol.

Ffyrdd ariannol ac anariannol o gymell gweithwyr

Mae cymhellion ariannol i wella perfformiad gweithwyr yn cynnwys:

- **Tâl penodol am gwblhau darn penodol o waith** (*piece work*)
- **Comisiwn**, lle gwneir taliad fel canran (%) o werth y cynnyrch neu'r gwasanaeth sydd wedi'i werthu.
- **Bonws**, sef taliad ychwanegol i gydnabod cyfraniad aelod o staff i'r busnes.

Cyngor i'r arholiad

Gellir defnyddio damcaniaethau cymhelliant mewn llawer o gwestiynau gwerthusol, yn enwedig os oes ffocws ar leihau costau neu wella ansawdd. Cofiwch, staff yn aml sy'n darparu'r grym creadigol y tu ôl i fusnes, felly mae costau ac ansawdd yn debygol o ddioddef os yw'r busnes yn anghofio bod cymhelliant staff yn allweddol i gyflawni ei amcanion.

- **Rhannu elw**, sef y mwyaf yw'r elw mae'r busnes yn wneud, y mwyaf yw'r gyfran ohono y mae'r gweithiwr yn ei dderbyn.
- **Tâl yn ôl perfformiad**, ymgais busnes at gysylltu tâl â chynhyrchiant cynyddol gan y gweithiwr.
- **Derbyn cyfranddaliadau**, lle mae gweithwyr yn cael y cyfle i dderbyn cyfranddaliadau yn y busnes y maen nhw'n gweithio iddo. Byddai modd iddyn nhw eu derbyn am ddim neu am dâl llai. Defnyddir hyn yn aml i gymell gweithwyr ac yn enwedig rheolwyr i gyrraedd targedau. Er enghraifft, mae staff *John Lewis* i gyd yn berchen ar gyfranddaliadau yn y busnes.

Mae damcaniaeth cymell gweithwyr Taylor yn seiliedig ar gymhellion ariannol. Mae damcaniaeth Maslow yn ystyried tâl yn angen sylfaenol, a Herzberg yn ei drin fel ffactor hylendid.

Mae **technegau anariannol** i wella perfformiad gweithwyr yn cynnwys:

- **Dirprwyo**, lle mae rheolwyr yn rhoi cyfrifoldeb am dasg i aelod arall o staff.
- **Ymgynghori**, lle holir barn y staff am faterion cysylltiedig â'r busnes, er na fydd y rheolwyr efallai'n gweithredu yn ei chylch.
- **Rhoi'r grym i'r gweithiwr** (*empowerment*), lle rhoddir awdurdod swyddogol i weithwyr i wneud penderfyniadau a rheoli eu gweithgareddau eu hunain.
- **Gwaith tîm**, lle mae gweithwyr yn gweithio mewn grwpiau bach â nod cyffredin.
- **Gweithio hyblyg**, sef ffordd o weithio sy'n addas i anghenion gweithiwr.
- **Cyfoethogi swydd** (*job enrichment*), lle rhoddir mwy o gyfrifoldeb a chydnabyddiaeth i weithwyr drwy estyn eu rôl yn y broses gynhyrchu.
- **Cylchdroi swydd**, lle caiff swyddi neu dasgau eu newid o bryd i'w gilydd i leihau diflastod a rhoi mwy o hyblygrwydd llafur.
- **Helaethu swydd**, lle bydd gweithiwr yn derbyn gwaith ychwanegol sy'n debyg i'w rôl gyfredol.

Mae'n bosibl cysylltu cymhellion anariannol gyda'r holl ddamcaniaethau cymhelliant gweithwyr heblaw un Taylor. Ar gyfer Maslow, maent yn tueddu i fodloni'r anghenion lefel uwch. Awgrymodd Herzberg mai cyfoethogi swydd yw'r allwedd i gymell pobl.

Gwerthuso priodoldeb dulliau cymell ariannol ac anariannol i fusnes a'i randdeiliaid

Bydd priodoldeb y gwahanol ddulliau cymell yn dibynnu ar:

- Y gost. Er enghraifft, efallai bydd busnes sy'n cael trafferth gwneud elw yn teimlo nad yw'n briodol buddsoddi mewn cymell staff, am mai goroesi yw ei flaenoriaeth. Fodd bynnag, mae'n bosibl mai diffyg cymhellwyr felly yw'r union reswm dros berfformiad gwael.
- Natur y busnes.
- Natur y gweithwyr. Er enghraifft, efallai bydd gweithwyr medrus iawn yn gwerthfawrogi cymhellion anariannol.
- Safle moesegol y busnes, gan gynnwys ei gyfranddalwyr a'i randdeiliaid ehangach.

Gwerthuso effaith gweithlu uchel ei gymhelliant ar fusnes a'i randdeiliaid

Ystyrir yn gyffredinol fod gweithlu sy'n uchel ei gymhelliant yn ased cadarnhaol i unrhyw fusnes am ei fod yn lleihau costau. Yn gyffredinol, mae angen llai o oruchwyliaeth ar staff uchel eu cymhelliant, maent yn rhoi gwell gwasanaeth cwsmeriaid ac yn cynhyrchu cynhyrchion o ansawdd uwch.

Profi gwybodaeth 20

Sut y mae cwmni archfarchnad fel *Morrison's* yn gallu defnyddio rhannu elw er mwyn cynyddu elw o fewn y busnes?

Profi gwybodaeth 21

Sut mae cylchdroi swyddi ar linell gynhyrchu'r *BMW Mini* yn gallu helpu'r busnes i wella ansawdd ei gynhyrchion?

Cyngor i'r arholiad

Dechreuwch ateb arholiad am gymhelliant bob amser gyda diffiniad academaidd, fel un Herzberg a ddiffiniodd gymhelliant fel 'gwneud rhywbeth am fod arnoch eisiau ei wneud'.

Fodd bynnag, ni ddylai busnesau danbrisio pwysigrwydd edrych ar agweddau eraill o'r busnes fel sicrhau'r cynnyrch gorau am y pris gorau. Fel arall, ni fyddai'r staff, er gwaethaf eu lefelau uchel o gymhelliad, yn gallu sicrhau y byddai'r busnes yn gwneud elw.

Rheoli ac arwain

Ystyr **rheoli** yw trefnu, rheoli a chyfarwyddo adnoddau'r busnes er mwyn cyflawni ei amcanion. Mae swyddogaethau a rôl rheoli yn cynnwys cynllunio, arwain, trefnu a rheoli pob agwedd ar y busnes gan gynnwys y gweithlu, deunyddiau crai a chyfleusterau cynhyrchu.

Rheoli trwy amcanion

Ystyr rheoli trwy amcanion yw gwella perfformiad y busnes drwy amcanion pendant i reolwyr a staff. Mae angen i amcanion fod yn rhai:

- **Cyraeddadwy:** heriol ond nid amhosibl.
- **Amserol:** mae graddfa amser benodol ynghlwm wrthynt.
- **Mesuradwy:** fel y gall unrhyw un weld a ydynt wedi'u cyflawni.
- **Penodol:** dylent fodloni anghenion a dymuniadau penodol cwsmeriaid a'r sefydliad.
- **Synhwyrol:** o ran anghenion y busnes a'i randdeiliaid.

Mae buddion rheoli gan ddefnyddio amcanion yn cynnwys:

- amcanion clir, er mwyn mesur perfformiad a gwelliant ar bob lefel o'r sefydliad
- syniad clir o'r blaenoriaethau a ddylai fod gan reolwyr, y safon y mae angen iddynt ei chyrraedd a'r terfyn amser ar gyfer gwneud hynny

Mae anfanteision rheoli gan ddefnyddio amcanion yn cynnwys:

- bydd angen i'r sefydliad fuddsoddi llawer iawn o amser ac arian er mwyn i'r broses fod yn effeithiol
- yn aml gosodir amcanion nad ydyn nhw'n rhan o'r rhestr uchod gan leihau cymhelliant staff, cynhyrchedd isel a'r busnes yn mynd i'r wal.

Damcaniaeth X a damcaniaeth Y McGregor

Mae **damcaniaeth X a damcaniaeth Y McGregor** yn amlinellu dau ddull rheoli. Mae gan reolwyr Damcaniaeth X farn negyddol am weithwyr, sef mai gwobrau a chosbau sy'n eu cymell, dydyn nhw ddim yn hoffi'r gwaith a'u bod yn osgoi cyfrifoldeb. Yn aml, mae gwerthusiadau'n chwilio am ganlyniadau mesuradwy fel gwerthiannau neu gynnyrch cynyddol, a ddefnyddir i reoli staff.

Mae gan reolwyr Damcaniaeth Y farn bositif am weithwyr ac yn defnyddio'r dull rheoli lle mae pawb yn cyfrannu i'r tîm. Mae'n seiliedig ar ymddiriedaeth, yn annog cydweithio ac yn cefnogi'r syniad y dylai gweithwyr dderbyn mwy o gyfrifoldeb a datblygu eu sgiliau. Maen nhw'n credu bod gweithwyr yn hapus i weithio ar eu pennau'u hunain, eu bod yn cymell eu hunain a'u bod am fod yn rhan o wneud penderfyniad.

Dulliau arwain

Y gwahaniaeth rhwng rheoli ac arwain yw mai swydd y rheolwr yw cynllunio, trefnu a chydgysylltu. Swydd yr arweinydd yw gosod nodau clir, wedyn helpu'r rheolwyr i weld sut mae eu cyrraedd.

Efallai bydd arweinwyr yn ysbrydoli creadigrwydd a menter mewn modd nad yw rheolwyr yn ei wneud. Gall arweinwyr fod yn un o'r mathau canlynol:

- **Unbenaethol:** mae arweinydd unbenaethol (*autocratic*) yn gwneud yr holl benderfyniadau yn annibynnol ar y gweithwyr ac yn rhannu agwedd Taylor at staff. Mae cyfathrebu'n tueddu i fod o'r brig i'r gwaelod, heb fawr o ddirprwyo. Rhoddir penderfyniadau ar waith yn gyflym drwy'r busnes i gyd heb ymgynghori o gwbl â gweithwyr. O ganlyniad, gall gweithwyr deimlo heb eu gwerthfawrogi'n ddigonol am na chânt ddweud eu dweud o gwbl mewn penderfyniadau, gan arwain at leihau cymhelliant a cholli cynhyrchedd.
- **Tadol** (*paternalistic*): ystyrir anghenion a barn y gweithwyr yn fwy. Mae gan yr arweinydd ddiddordeb yn lles y gweithwyr ac mae'n ymddwyn fel ffigwr tadol (neu riant). Mae'n trafod â gweithwyr a gwrando ar eu hadborth neu farn, er mai'r arweinydd o hyd sy'n gwneud y penderfyniadau terfynol. Mae'r dull hwn wedi'i gysylltu'n agos â barn Mayo a Maslow am gymhelliant. Mae gweithwyr yn fwy parod i roi o'i gorau am eu bod yn gwerthfawrogi fod eu barn yn cael ei chydnabod ac maen nhw'n deall pam mae penderfyniadau'n cael eu gwneud, sy'n arwain at gynnydd mewn cymhelliant. Fodd bynnag, nid oes fawr o ddirprwyo, a phrin yw'r cyfleoedd i weithwyr ddylanwadu ar benderfyniadau.
- **Democrataidd**: mae'r arweinydd yn annog eraill i gymryd rhan mewn gwneud penderfyniad drwy ymgynghori, ac yn aml yn gweithredu ynghylch barn y mwyafrif ar fater, ac yn aml yn ffafrio dirprwyo. Mae'r dull hwn yn gysylltiedig â damcaniaeth Herzberg am gymhelliant. Un fantais yw y bydd gweithwyr yn fwy tebygol o fod wedi ymrwymo i benderfyniadau y buont yn rhan o'u gwneud. Yr anfantais yw bod penderfyniadau ar sail ymgynghoriad yn tueddu i gymryd amser hir i'w gwneud, gan olygu nad yw'r busnes mor ymatebol i newid.
- ***Laissez-faire***: mae diffyg penderfyniad neu ddim arweiniad ar frig y cwmni yn creu gwacter ac yn arwain at aelodau iau o'r cwmni yn cael cyfle i gymryd mwy o arweniad. Un fantais yw y gallai arloesi a grymuso arwain at fusnes mwy cystadleuol. Ond efallai mai ychydig a fydd yn cymell gweithwyr i weithio'n galed a gall llinellau cyfathrebu gael eu drysu, gan arwain at lai o gynhyrchedd.
- **Biwrocrataidd**: ar sail dyletswyddau sefydlog mewn hierarchaeth awdurdod, lle mae'r arweinydd yn cymhwyso cyfres o reolau i wneud penderfyniadau. Fe'i defnyddir yn aml mewn busnesau lle nad oes angen llawer o greadigrwydd gan weithwyr. Mantais arweinyddiaeth fiwrocrataidd yw bod busnes yn gallu ail-greu'r arweinyddiaeth yn hawdd ar draws ei rwydwaith a rheoli staff sy'n gwneud tasgau ailadroddus yn effeithlon. Ei gwendid yw bod y dull yn gallu mygu rheolwyr a staff sy'n arloesol yn ogystal ag arwain at ddiffyg cymhelliant a lefelau isel o gynhyrchedd.

Arweinyddiaeth unbenaethol Mae'r arweinydd yn gwneud yr holl benderfyniadau yn annibynnol ar y gweithwyr.

Arweinyddiaeth dadol Rhoddir mwy o sylw i anghenion a barn gweithwyr. Ymgynghorir â gweithwyr am eu syniadau, er mai'r arweinydd sy'n gwneud y penderfyniadau yn y pen draw.

Arweinyddiaeth ddemocrataidd Mae'r arweinydd yn annog eraill i gyfrannu mewn penderfyniadau drwy ymgynghori a dirprwyo.

Arweinyddiaeth fiwrocrataidd Dull arwain sy'n defnyddio hierarchaeth awdurdod lle mae penderfyniadau'n seiliedig ar gymhwyso rheolau.

Profi gwybodaeth 22

Enwch wahaniaeth rhwng dulliau arwain unbenaethol a *laissez-faire*.

Damcaniaethau arwain

Mae damcaniaethau arwain yn cynnwys:

- **Damcaniaeth wrth gefn** (*contingency theory*) **F. Fielder** a gynigiodd mai ansawdd yr arweinyddiaeth yw'r ffactor pwysicaf sy'n effeithio ar lwyddiant busnes. Dylai arweinwyr feddu ar nodweddion fel bod yn gyfeillgar a chefnogol yn hytrach na bod yn elyniaethus neu'n gwrthod cydweithio. Dylai arweinyddiaeth hefyd adlewyrchu'r sefyllfa – 'wrth gefn' – y mae'r arweinydd yn cael ei hun ynddi, ac y dylai addasu ei ddull i'r sefyllfa. Barnwyd bod arweinwyr sy'n canolbwyntio ar berthynas yn fwy effeithiol mewn amgylchiadau llai eithafol, tra bod arweinwyr sy'n canolbwyntio ar dasgau yn well mewn sefyllfaoedd anodd dros ben neu ffafriol dros ben.

- **Damcaniaeth P. Wright a D. Taylor** a awgrymodd ei bod yn bosibl gwella galluoedd arweinydd drwy addysg. Nodwyd ganddynt sgiliau yr oedd eu hangen ar arweinwyr fel sgiliau cyfathrebu yn ogystal â sgiliau sydd ddim yn cynnwys geiriau, a rhestr wirio i ganfod beth oedd yn ofynnol mewn sefyllfa waith benodol. Byddai gallu arweinydd i addasu i'r sefyllfa yn gwella perfformiad gweithiwr. Roedd Wright a Taylor yn credu y byddai staff, pa bynnag ddull oedd yn cael ei ddefnyddio gan y rheolwr, yn perfformio'n well gydag arweinwyr â sgiliau rhyngbersonol rhagorol.

Y berthynas rhwng cyflogwr a gweithiwr

Mae'r **berthynas rhwng cyflogwr a gweithiwr** yn golygu'r berthynas unigol a chyfunol sydd gan y cyflogwr â'r gweithiwr yn y gweithle. Mae perthynas dda rhwng cyflogwr a gweithiwr yn helpu i greu lefelau uchel o gyfranogiad ac ymrwymo gweithwyr yn y broses o gyflawni amcanion y busnes.

Gall hyn gynnwys dyletswyddau a hawliau cyflogwyr a gweithwyr fel:

- **Contract cyflogaeth**, sef cytundeb llafar neu ysgrifenedig rhwng cyflogwr a gweithiwr sy'n nodi'r dyletswyddau, telerau ac amodau cyflogaeth yn gyfnewid am dâl.
- **Iechyd a diogelwch**, lle mae gan y cyflogwr a'r gweithiwr gytundeb cyfreithiol i sicrhau bod y gweithle a'r dulliau a ddefnyddir i wneud y gwaith yn rhai diogel, er enghraifft gwisgo dillad diogelwch.
- **Yr isafswm cyflog**, sef y gyfradd dalu isaf yr awr y mae cyflogwyr yn gorfod ei thalu. Er enghraifft, yn 2020 yr isafswm cyflog i bobl dan 18 oedd £4.35 yr awr.
- **Y cyflog byw**, sef y gyfradd dalu leiaf yr awr ar gyfer gweithwyr sy'n 25 oed neu hŷn. Roedd hwn yn £8.72 yn 2020.
- **Diswyddo**, pan fydd cyflogwr yn gwneud i rywun adael ei swydd oherwydd anfodlonrwydd o ran ei berfformiad.

Cyfle cyfartal

Ystyr **cyfle cyfartal** yw'r hawl i gael eich trin heb wahaniaethu. Mae ffocws ar gyfle cyfartal yn pwysleisio cyfleoedd am addysg, cyflogaeth a dyrchafiad mewn busnes. **Deddf Cydraddoldeb 2010** yw'r ddeddf sy'n gwarchod pobl rhag gwahaniaethu yn y gweithle, er enghraifft gwahaniaethu ar sail hil, rhyw neu anabledd.

Dyma rai o fuddion cyfle cyfartal:

- Mae dyfarnu swyddi yn ôl teilyngdod gweithwyr yn unig yn golygu gall y busnes gael mynediad at y sgiliau a'r profiad sydd eu hangen er mwyn sicrhau mantais gystadleuol iddo yn erbyn ei gystadleuwyr.
- Mae'r rhan fwyaf o randdeiliaid, gan gynnwys cwsmeriaid, yn debygol o ystyried bod cyfle cyfartal yn nodwedd gadarnhaol ar fusnes a'i gynhyrchion,. Gallai hyn eu hannog i ddewis ei gynhyrchion yn lle rhai cystadleuwyr llai moesegol.

Dyma rai o anfanteision cyfle cyfartal:

- Yn y tymor byr, gallai costau cynnal gweithwyr a hyfforddi a datblygu staff gynyddu.
- Mae perygl bod gan fusnesau farn anghytbwys am ystyr wirioneddol cyfle cyfartal, gan arwain at gyhuddiadau am gywirdeb gwleidyddol a chyhoeddusrwydd gwael i'r busnes.

Cyngor i'r arholiad

Mae arweinyddiaeth yn aml yn gysylltiedig â damcaniaethau cymhelliant mewn cwestiwn gwerthuso. Mae angen i chi edrych ar amryw o faterion gan gynnwys strwythur y busnes ac yna barnu sut mae'r dull arwain yn effeithio ar y busnes. Er enghraifft, efallai mai'r dull unbenaethol fyddai orau os oes angen penderfyniadau cyflym ar y busnes.

Y berthynas rhwng cyflogwr a gweithiwr
Y berthynas unigol a chyfunol sydd gan y cyflogwr â'i weithwyr yn y gweithle.

Cyngor i'r arholiad

Gyda chwestiwn ar ddiswyddo, bydd fel arfer angen trafodaeth am weithwyr fel cost i'r busnes.

Undebau llafur

Cymdeithas o weithwyr mewn crefft arbennig neu broffesiwn yw **undeb llafur**, sy'n gwarchod a gwella hawliau ei aelodau, er enghraifft drwy drafod tâl a hyd yn oed pecynnau diswyddo.

Cydfargeinio yw pan fydd busnes yn trafod gyda chynrychiolwyr gweithwyr, fel undebau llafur, ynghylch telerau ac amodau cyflogaeth. Bydd y trafod yn ymwneud â sicrhau buddion tebyg i bob gweithiwr.

Mae cyd-fargeinio yn galluogi'r busnes i arbed amser ac arian efallai drwy drafod â nifer fechan o gynrychiolwyr o undeb llafur. Mae fel arfer yn rhoi mwy o bŵer bargeinio i weithwyr. Fodd bynnag, gall leihau'r buddion i staff mwy profiadol oherwydd bydd yr undeb yn awyddus i sicrhau bod pob aelod, gan gynnwys staff iau, yn cael buddion tebyg, yn hytrach na dadlau am wahanol dâl a thelerau cyflogaeth i'r rheini sydd â mwy o sgiliau a phrofiad.

Ystyr **anghydfod masnach** (*trade dispute*) yw gweithwyr a chyflogwr yn dadlau neu'n trafod ynghylch amodau cyflogaeth. Er enghraifft, yn 2017 roedd Undeb Cenedlaethol y Gweithwyr Rheilffordd, Morwrol a Thrafnidiaeth (RMT) yn rhan o anghydfod hir am benderfyniad eu cyflogwr i weithredu trenau â gyrrwr yn unig heb gasglwr tocynnau.

Ystyr **gweithredu diwydiannol** (*industrial action*) yw gweithwyr, fel arfer ar ffurf undeb llafur, yn protestio dros ryw elfen o amodau gwaith. Gall hyn gynnwys tynnu eu llafur yn ôl am gyfnod o amser – mynd ar streic – neu weithio i reol, sy'n golygu na fydd gweithwyr ond yn gwneud yr hyn sy'n rhaid iddynt ei wneud yn ôl eu contract.

Gall y cyflogwr a'r undeb/gweithwyr geisio **datrys anghydfod** drwy:

- **Negodi** neu **drafod** (*negotiation*), lle ceir trafodaeth rhwng yr undeb/gweithwyr a'r cyflogwr er mwyn dod i gytundeb.
- **Ymgynghori**, lle gofynnir i'r undeb/gweithwyr am syniadau a chyfraniad am fater cyn i'r cyflogwr wneud penderfyniad.
- **Cyflafareddu** (*arbitration*), lle gall y partïon mewn anghydfod gael cymorth gan y **Gwasanaeth Ymgynghori, Cymodi a Chyflafareddu (ACAS)**, sef sefydliad llywodraeth sy'n arbenigo mewn cysylltiadau diwydiannol. Gall ACAS ddarparu arbenigwyr i wrando ar gwynion pob ochr ac awgrymu atebion. Ni all ACAS orfodi ateb ar y partïon.

Gwerthuso effaith y berthynas rhwng cyflogwr a gweithiwr ar y busnes a'i randdeiliaid

- Mae cysylltiadau da'n golygu busnes sy'n rhedeg yn esmwyth ar hyd llinellau partneriaeth rhwng staff a chyflogwyr.
- Mae staff sy'n teimlo eu bod yn rhan o'r broses benderfynu yn fwy tebygol o dderbyn hyd yn oed penderfyniadau anodd fel diswyddiadau.
- Yn y pen draw mae cysylltiadau da yn arwain at gostau is, busnes mwy hyblyg a dynamig ac elw uwch.
- Fodd bynnag, gall diffyg cymryd rhan neu weithwyr neu gyflogwyr sydd am ddilyn eu hagenda eu hunain heb gyfaddawdu arwain at anghydfod, streic a gostyngiad yn y cynhyrchiant a hyd yn oed methiant y busnes.

Undeb llafur
Cymdeithas o weithwyr mewn crefft penodol neu broffesiwn, a ffurfiwyd i warchod a datblygu eu hawliau a'u buddiannau.

Cydfargeinio
Cynrychiolwyr cyflogeion, fel undebau llafur, yn trafod â chyflogwyr ynghylch telerau ac amodau cyflogaeth.

Crynodeb

Ar ôl astudio'r pwnc, dylech fod yn gallu:

- deall rôl yr adran adnoddau dynol a'r newidiadau mewn gwahanol batrymau gwaith i'r gweithlu
- gwerthuso effaith technoleg newydd ar batrymau gwaith y gweithlu ac ar y busnes
- egluro a gwerthuso prosesau cynllunio, hyfforddi a gwerthuso'r gweithlu, a'u pwysigrwydd i'r busnes
- egluro a chyfrifo cynhyrchedd llafur, trosiant llafur, cyfraddau cadw llafur ac absenoldeb a gwerthuso pwysigrwydd perfformiad y gweithlu i lwyddiant y busnes
- egluro a gwerthuso damcaniaethau cynllunio trefniadol, grymuso a chymhelliant fel rhai Taylor, Mayo a Maslow
- egluro dulliau ariannol ac anariannol o gymell gweithwyr, rheoli trwy amcanion a dulliau arwain a'u pwysigrwydd i lwyddiant busnes
- egluro a gwerthuso cyfle cyfartal, undebau llafur, gwrthdaro yn y gweithle a dulliau datrys

Rheoli gweithrediadau

Rheoli gweithrediadau yw'r dulliau mae busnes yn eu defnyddio i greu cynhyrchion a gwasanaethau sy'n cael eu cyflenwi'n effeithlon i'r cwsmer i wneud yr elw mwyaf a lleihau costau.

Er enghraifft, mae'r gweithgynhyrchwr ceir *Tesla* wrthi'n adeiladu ffatri cynhyrchu batris mwyaf y byd ar gyfer ei geir trydan. Er mwyn cadw costau'n isel mae'r ffatri wedi'i lleoli wrth ymyl ffatri arall gerllaw sy'n gweithgynhyrchu eu ceir. Mae'r ffatri gweithgynyrchu batris yn defnyddio robotiaid a chyfrifiaduron i gynhyrchu batris ar raddfa fawr.

Ar raddfa lawer llai, cwmni teuluol, arbenigol yw *Heck Sausages* sy'n cynhyrchu selsig. Mae'n gwerthfawrogi natur unigryw ac ansawdd cartref ei gynhyrchion cig, felly mae ganddo linell gynhyrchu sy'n defnyddio'r dull creu niferoedd bychan gyda'i gilydd sef swp-gynhyrchu (*batches*). Felly bydd hyn yn sicrhau bod yr ansawdd uchaf yn cael ei gynnal ac y gellir addasu mathau o gynnyrch i ofynion gwahanol gwsmeriaid.

Ychwanegu gwerth

Ychwanegu gwerth yw cynyddu'r gwahaniaeth ariannol rhwng y costau cynhyrchu a'r pris gwerthu. Gallai cwsmeriaid gredu bod y cynnyrch yn well na chynhyrchion cystadleuwyr am nifer o resymau, gan gynnwys delwedd y brand neu ddelwedd y busnes yn cryfhau teyrngarwch i'r brand. Er enghraifft, mae *VW Group* yn gyfrifol am adeiladu ceir *Skoda* a cheir *Audi*. Yr un injans a ddefnyddir i adeiladu ceir *Skoda* a cheir *Audi*, er mwyn i *VW Group* dorri ei gostau deunyddiau crai drwy swmp-brynu, sy'n un ffordd o ychwanegu gwerth. Mae *VW Group* wedi gwneud yn siŵr hefyd eu bod yn creu delwedd brand gwahanol ar gyfer *Audi* gan alluogi'r cwmni i werthu ceir *Audi* am bris uwch na cheir *Skoda*. Mae hyn yn ddull effeithiol o ychwanegu gwerth.

I gyfrifo ychwanegu gwerth, y fformiwla yw:

ychwanegu gwerth = pris gwerthu cynnyrch – cost cynhyrchu

Er enghraifft, roedd *Sony PlayStation 4* yn costio £295 i'w wneud pan gafodd ei ryddhau ym mis Tachwedd 2013. Fe'i gwerthwyd am £349 i gwsmeriaid adwerthu. Yr ychwanegiad gwerth felly oedd:

ychwanegu gwerth = £349 – £295

ychwanegu gwerth = £54

I gynyddu ychwanegu gwerth gall busnes:

- **adeiladu brand** ag enw da am ansawdd y bydd cwsmeriaid yn talu pris premiwm amdano
- **ychwanegu nodweddion** at y cynnyrch sy'n ei wneud yn wahanol i eraill ar y farchnad
- **cynnig cyfleustra** fel gallu prynu llyfr o *WH Smith* yn yr orsaf drenau am bris premiwm
- **darparu gwasanaeth cwsmeriaid eithriadol**, fel y disgwyliech pe byddech yn talu £50 am de prynhawn yng ngwesty *Claridges*, yn hytrach na thalu pris llai yn rhywle llai adnabyddus

Dyma rai o fanteision ychwanegu gwerth i fusnes:

- gallu codi prisiau uwch, ac felly gwneud mwy o elw
- pwynt gwerthu unigryw (USP), sy'n gwneud cynnyrch yn wahanol i gynnyrch cystadleuydd

Dyma rai o anfanteision ychwanegu gwerth:

- mae prisiau uwch yn creu disgwyliadau uchel ac efallai na fydd y busnes yn gallu eu cyflawni, gan arwain at anfodlonrwydd cwsmeriaid a cholli gwerthiannau
- mae angen llawer iawn o fuddsoddiad ac amser i greu ychwanegu gwerth, felly rhaid bod gan fusnes y cyllid i alluogi hyn.

Cyngor i'r arholiad

Wrth werthuso ychwanegu gwerth ceisiwch edrych ar lun ehangach y busnes a'i farchnad. Mae brandiau uchel eu gwerth fel *Apple* yn ei chael yn llawer haws hyrwyddo ychwanegu gwerth a'r prisiau premiwm cysylltiedig na busnesau nad oes llawer yn gwybod amdanynt.

Profi gwybodaeth 23

Rhowch un rheswm pam mae *Tesla* yn ychwanegu mwy o werth drwy gynhyrchu ei fatris ei hun i'w geir trydan na thrwy eu prynu gan fusnes arall.

Cynhyrchu

Cynhyrchu (*production*) yw'r holl allbwn sy'n cael ei greu mewn cyfnod penodol o amser. Y mwyaf o gynnyrch y mae'r cwmni yn gallu ei gynhyrchu o fewn cyfnod penodol o amser yna y mwyaf llwyddiannus y bydd y cwmni yn cynyddu ei elw.

Cynhyrchu
Yr holl allbwn sy'n cael ei gynhyrchu mewn cyfnod penodol o amser.

Dulliau cynhyrchu

Mae nifer o ffyrdd y gall busnes gynhyrchu ei gynhyrchion:

- **Cynhyrchu yn ôl y gwaith**, lle mae busnes yn canolbwyntio ar gynhyrchu un uned ar y tro, wedyn dechrau'r un nesaf. Fel hyn, gellir teilwra'r cynhyrchion i anghenion y cwsmer ac mae'n addas i gynhyrchion marchnad arbenigol neu marchnad gloer (*niche market*). Mae un gweithiwr neu grŵp o weithwyr yn cwblhau'r dasg, a hynny'n aml yn fedrus iawn. Manteision cynhyrchu yn ôl y gwaith yw ei fod fel arfer yn creu cynnyrch o ansawdd uchel sy'n bodloni anghenion y cwsmer unigol, a bod mwy o fodlonrwydd i'r gweithwyr. Un broblem yw bod costau cynhyrchu yn debygol o fod yn uchel.
- **Swp-gynhyrchu**, yw gwneud nifer o gynhyrchion mewn niferoedd gweddol fach gyda'i gilydd (*batch production*). Rhaid cwblhau un cam o'r broses weithgynhyrchu ar gyfer y swp cyfan cyn bod y cynhyrchion yn symud ymlaen i gam nesaf y broses. Mae gwneud cynhyrchion mewn sypiau yn lleihau'r costau uned. Gellir bodloni anghenion cwsmer penodol o hyd a gall peiriannau neu sgiliau arbenigol gynyddu'r nifer a gynhyrchir mewn cyfnod penodol o amser. Mae problemau'n cynnwys cynhyrchedd is oherwydd yr amser a gollir yn newid rhwng gwahanol sypiau.

Cynhyrchu yn ôl y gwaith
Dull cynhyrchu lle mae busnes yn canolbwyntio ar gynhyrchu un uned ar y tro.

Swp-gynhyrchu
Gweithgynhyrchu nifer heb fod yn rhy fawr ar yr un pryd.

- Trefnir **llif-gynhyrchu** fel bod unedau'n symud yn syth o'r naill ran o'r broses i'r cam nesaf yn y broses mewn dilyniant parhaus. Mae'r dull hwn yn dibynnu ar gael galw mawr am gynnyrch tebyg, sef cynnyrch ar gyfer marchnad dorfol fel arfer. Mewn llif-gynhyrchu, defnyddir llawer iawn o beiriannau o'i gymharu â staff, fel y gellir gwneud nifer fawr o gynhyrchion am gost gymharol isel. Un fantais arall yw gallu swmp-brynu deunyddiau crai a hynny am gost uned is. Ymhlith yr anfanteision mae costau cyfalaf cychwynnol uchel am fod angen cynifer o beiriannau, a'r ffaith y gall fod yn llafurus a drud gwneud unrhyw newidiadau i'r broses gynhyrchu.

Cyngor i'r arholiad

Gall cwestiwn arholiad ofyn i chi gymharu dau fath o gynhyrchu ac argymell yr un mwyaf addas. Yr allwedd i dderbyn marc uchel yw edrych yn ofalus ar y farchnad y mae'r busnes yn rhan ohoni. Er enghraifft, a yw'n gwerthu i farchnad arbenigol neu dorfol?

Llif-gynhyrchu
Dull cynhyrchu lle mae unedau'n symud yn uniongyrchol o'r naill ran o'r broses i'r llall mewn dilyniant parhaus.

Profi gwybodaeth 24

Rhowch un rheswm pam fyddai cyflenwr dillad i *Primark* efallai'n dewis llif-gynhyrchu.

Cynhyrchedd

Cynhyrchedd (*productivity*) yw'r allbwn am bob un unigolyn neu beiriant fesul awr. Mae cynhyrchedd felly'n fesur o effeithlonrwydd unigolyn neu beiriant o ran troi mewnbynnau'n allbynnau defnyddiol.

Po fwyaf cynhyrchiol y busnes, gorau i gyd y gall gystadlu ag eraill yn yr un farchnad. Mae hyn oherwydd gellir trosglwyddo cynhyrchiant uwch i gwsmeriaid o ran prisiau is, a hynny efallai'n rhoi mantais gystadleuol i'r busnes a mwy o gyfran o'r farchnad.

Gall busnes geisio gwella ei gynhyrchedd drwy:

- **Hyfforddi gweithwyr**, a fydd yn eu helpu i ddysgu ffyrdd mwy effeithiol o gwblhau eu tasgau. Fodd bynnag, mae hyfforddiant yn costio arian ac amser.
- **Gwella cymhelliant** gan ddefnyddio gwahanol ddulliau arwain a chymhellion ariannol ac anariannol. Ond mae costau ynghlwm â chreu cymhellion. Gall rhai dulliau fod yn wrthgynhyrchiol a lleihau cymhelliant rhai gweithwyr, fel talu i'r gweithwyr dâl penodol am bob uned o waith sy'n cael ei wneud.
- **Prynu peiriannau gwell neu brynu mwy o beiriannau drwy fuddsoddi cyfalaf neu cael gwared â gweithwyr,** sy'n gallu cynyddu cynhyrchiant neu ddisodli gweithwyr yn llwyr yn y dasg gynhyrchu hyd yn oed. Yr anfantais yw bod peiriannau'n ddrud ac efallai na fydd yn cynnig yr hyblygrwydd i newid y broses gynhyrchu yn y ffordd y gall staff ei wneud.
- **Prynu deunyddiau crai o well ansawdd**, sy'n gallu lleihau'r amser sy'n cael ei wastraffu ar gynhyrchion sy'n cael eu gwrthod. Fodd bynnag, mae costau'n debygol o godi a allai lyncu'r arbedion cynhyrchiant.

Profi gwybodaeth 25

Rhowch un rheswm pam fyddai busnes efallai'n penderfynu anelu at gynhyrchiant is.

Cyngor i'r arholiad

Mae cynhyrchedd yn cynnwys nid yn unig y costau cynhyrchu ond hefyd y costau a'r dulliau gwerthu neu'r dulliau o gyflenwi'r gwasanaeth. Wrth werthuso ceisiwch ystyried pa ddulliau sydd o dorri costau mewn gwahanol ffyrdd er mwyn gwella neu gynnyddu'r cynhyrchedd.

Defnyddio gallu cynhyrchu

Defnyddio gallu cynhyrchu (*capacity utilisation*) sy'n mesur y gyfran o allbwn cyfredol o'i gymharu â'r allbwn posibl mwyaf mewn cyfnod penodol o amser. Gellir ei ddangos fel canran gan ddefnyddio'r fformiwla ganlynol:

$$\textbf{defnyddio gallu cynhyrchu} = \frac{\text{allbwn gwirioneddol}}{\text{allbwn mwyaf posibl}} \times 100$$

Defnyddio gallu cynhyrchu
Mae'n mesur y gyfran o allbwn cyfredol o'i gymharu â'r allbwn mwyaf posibl.

Er enghraifft, lle mae gan fusnes y potensial i wneud 4,000 pâr o glustffonau'r dydd, ond yr allbwn gwirioneddol o glustffonau ar ddiwrnod penodol yw 3,200, mae'r gyfradd defnyddio gallu cynhyrchu fel a ganlyn:

$$\text{defnyddio gallu cynhyrchu} = \frac{3{,}200}{4{,}000} \times 100$$

$$\text{defnyddio gallu cynhyrchu} = 80\%$$

Mae'r ffigur yn rhoi mesur o effeithlonrwydd cynhyrchiol a pho uchaf yw'r ganran, isaf i gyd fydd y gost am bob uned. Gyda chyfradd uchel o ddefnyddio gallu cynhyrchu, mae'r busnes yn defnyddio ei asedau'n effeithiol, gan wneud y busnes yn fwy cystadleuol, a ddylai arwain at elw uwch. Efallai bydd gan fusnes gyfradd isel o ddefnyddio gallu cynhyrchu am nifer o resymau, fel diffyg galw, cynhyrchu aneffeithlon, neu oherwydd nad yw cyflwyniad technoleg newydd i gynyddu gallu cynhyrchu wedi'i ateb eto gan alw cynyddol.

Pan fydd busnes yn gweithredu ar lai na 100% o allu cynhyrchu, dywedir bod ganddo **allu cynhyrchu dros ben**. Dangosir enghraifft o'r berthynas rhwng costau sefydlog a gallu cynhyrchu yn Nhabl 8.

Tabl 8 Costau sefydlog a chapasiti stadiwm pêl-droed

	Stadiwm llawn	Stadiwm hanner gwag
	50,000 o gefnogwyr	25,000 o gefnogwyr
Bil cyflog wythnosol (costau sefydlog)	£750,000	£750,000
Cost sefydlog cyflog fesul cefnogwr	£15 (750,000/50,000)	£30 (750,000/25,000)

Yma, pan na fydd y stadiwm pêl-droed ond hanner llawn, y gyfradd defnyddio gallu cynhyrchu yw 50%. Golyga hyn bod y biliau cyflog wythnosol yn cael ei rannu rhwng 25,000 o gefnogwyr yn unig a bod angen £30 o'r pris tocyn i dalu am gyflogau. Pan fydd y gyfradd yn 100% gyda 50,000 o gefnogwyr, yna dim ond £15 o'r pris tocyn yw'r costau sefydlog.

Ffyrdd o ddefnyddio gallu cynhyrchu yn well

Gellir defnyddio gallu cynhyrchu yn well drwy:

- Gynyddu oriau'r gweithlu drwy gyflwyno shifft ychwanegol neu gyflogi staff dros dro.
- Gwella marchnata, sy'n gallu arwain at fwy o alw am y cynhyrchion.
- Lleihau adnoddau cynhyrchu ffatri, er enghraifft drwy brynu safle llai o faint. Bydd hyn yn gostwng costau sefydlog a chostau'r uned, gan helpu'r busnes i barhau'n gystadleuol.

Dyma rai o fanteision defnyddio gallu cynhyrchu fel mesur:

- Gall fod yn arwydd o effeithlonrwydd busnes o ran cynhyrchu ei gynhyrchion. Yr agosaf ydy'r gwerth i 100% yna gorau oll.
- Wrth i'r gwerth defnyddio gallu gynyddu yna mae'r costau cynhyrchu ar gyfartaledd ar gyfer pob un cynnyrch yn lleihau, gan alluogi'r busnes i fod yn fwy cystadleuol.

Dyma rai o'r problemau wrth ddefnyddio gallu cynhyrchu fel mesur:

- Po uchaf yw'r gwerth defnyddio, mwyaf i gyd yr anhawster wrth gynhyrchu cynnyrch o ansawdd cyson, yn enwedig os yw'r cynhyrchu'n ddwys o ran llafur yn hytrach na chyfalaf.
- Gall gwerth defnyddio uchel roi pwysau ar y gweithlu a allai deimlo ei fod dan bwysau gan arwain at ostyngiad mewn cymhelliant a chynnydd mewn absenoldeb.

Profi gwybodaeth 26

Sut gallai archfarchnad gynyddu'r ffigur defnyddio gallu cynhyrchu os yw galw'n isel?

Cyngor i'r arholiad

Gallai gwerthusiad mwy soffistigedig o gyfradd defnyddio gallu cynhyrchu busnes ddod i'r casgliad bod buddion rhywfaint o danddefnyddio yn gorbwyso'r costau. Mae angen i chi ystyried y math o fusnes a'r farchnad i ystyried beth sy'n briodol.

Profi gwybodaeth 27

Pam allai busnes â gweithlu mawr ei chael yn anodd iawn cyflawni 100% o allu cynhyrchu?

Technoleg

Technoleg yw defnyddio peiriannau, dyfeisiau a gwybodaeth wyddonol i greu a gwerthu cynnyrch neu wasanaeth.

- Mae **technoleg gwybodaeth** yn bwysig i fusnes oherwydd gall arbed costau, gwella ansawdd cynhyrchion a gostwng costau uned. Fodd bynnag, er mwyn sicrhau mantais gystadleuol, mae gofyn buddsoddi'n sylweddol mewn technoleg unigryw.
- **Mae Cynllunio drwy Gymorth Cyfrifiadur (CAD)** yn ddull o ddylunio a chreu lluniadau cywir o gynnyrch mewn 2D neu 3D gan ddefnyddio rhaglenni cyfrifiadurol. Mae mwyafrif helaeth o gynhyrchion yn cael eu cynhyrchu ar raddfa eang gan ddefnyddio cyfrifiaduron. Cryfderau CAD yw'r gallu i dynnu llun cynnyrch i raddfa ac addasu a newid y dyluniad i fodloni anghenion a dymuniadau'r defnyddiwr yn y pen draw, gan arbed arian ac amser. Un diffyg yw bod pecynnau CAD yn ddrud i'w prynu ac angen staff medrus iawn i'w defnyddio.
- **Gweithgynhyrchu drwy gymorth cyfrifiadur (CAM)** yw technoleg sy'n defnyddio meddalwedd i weithredu peiriannau fel robotiaid er mwyn creu cynhyrchion ar linell gynhyrchu. Gellir cysylltu CAD â CAM i ffurfio proses gynhyrchu awtomataidd o'r naill ben i'r llall. Un o fanteision CAM yw ei fod yn cynnig mwy o gyflymder, cywirdeb a chysondeb o ran ansawdd, gan weithredu 24 awr y dydd. Ond mae costau sefydlu'n uchel a gall costau uned fod yn uchel ar gyfer cynhyrchu niferoedd bach.
- Ystyr **roboteg** yw defnyddio peiriannau y gellir eu rhaglennu i ddylunio ac adeiladu cynhyrchion cymhleth o ddeunyddiau crai. Un fantais yw y gallant gyflawni llawer o dasgau'n gyflym ac yn fanwl gywir, gyda llai o wastraff yn arwain at gostau uned is. Yr anfanteision yw eu bod yn gofyn buddsoddiad cychwynnol enfawr, cynnal a chadw rheolaidd a llawer iawn o raglennu ar gyfer pob newid a wneir i gynnyrch.

Cynhyrchu main (*lean production*) Dull sy'n anelu at leihau costau drwy gwtogi ar arferion gwastraffus wrth gynnal ansawdd uchel ar yr un pryd.

Profi gwybodaeth 28

Sut allai busnes sy'n defnyddio cynhyrchu main annog ei weithwyr i leihau costau?

Cyngor i'r arholiad

Ceisiwch farnu dichonoldeb (*feasability*) busnesau i allu defnyddio dulliau cynhyrchu main a rheoli stoc mewn union bryd (JIT) yn llwyddiannus. Yn aml mae busnes naill ai'n rhy fach neu heb y berthynas agos â chyflenwyr sydd ei hangen i wneud i'r broses hon weithio yn hytrach na rheoli stoc yn y modd traddodiadol. Ystyriwch y sefyllfa'n ofalus cyn argymell y dull hwn.

Cynhyrchu main

Dull cynhyrchu yw **cynhyrchu main** (*lean production*) sy'n ceisio cwtogi cymaint â phosibl ar gostau a gwella ansawdd drwy ddefnyddio nifer o fesurau arbed gwastraff. Gwneir hyn drwy leihau unrhyw beth sydd ddim yn ychwanegu gwerth at y broses gynhyrchu, fel stoc wrth gefn sydd wedi casglu mewn cyfnod pryd mae digon ar gael ar gyfer cyfnod pan fydd llai ar gael sef stoc clustogi (*buffer stock*), atgyweirio cynhyrchion diffygiol a symud staff a'r cynnyrch o gwmpas y busnes yn ddianghenraid.

Y nod wrth fabwysiadu cynhyrchu main yw sicrhau **gwelliant parhaus**. Bydd busnesau sy'n defnyddio cynhyrchu main yn gofyn i weithwyr nodi unrhyw rannau o'r broses gynhyrchu y gellir eu gwella. Os gellir osgoi gwastraff, bydd costau'n cael eu lleihau a gellir sicrhau mantais gystadleuol yn y farchnad.

Defnyddir amrywiaeth o dechnegau i leihau gwastraff a gwella cynhyrchedd, gan gynnwys:

- **Kaizen** (gair Japaneaidd sy'n golygu 'newid er gwell') sy'n anelu at feithrin gwelliant parhaus. Mae grwpiau bach o weithwyr o un rhan o gwmni yn cwrdd â'i gilydd yn rheolaidd i drafod ffyrdd o wella ansawdd (ac agweddau eraill ar effeithlonrwydd). Mae manteision Kaizen yn cynnwys cynyddu cynhyrchedd gan y bydd llai o wastraff yn y broses gynhyrchu, gan leihau costau felly. Fodd bynnag, efallai na fydd staff yn dymuno cael eu cynnwys yn y broses, ac mae ei sefydlu'n golygu costau ychwanegol.

Kaizen Arferion i hyrwyddo gwelliant parhaus, fel gofyn i grwpiau o weithwyr rannu syniadau am weithio'n fwy effeithlon.

- Mae dull rheoli stoc **mewn union bryd** (*JIT – just in time*) yn golygu nad yw mewnbynnau i'r broses gynhyrchu yn cyrraedd hyd nes bod eu hangen. Nid cyflenwad sy'n sbarduno cynhyrchu mewn union bryd, ond mae'n ceisio bodloni galw'r cwsmer mewn union bryd, ac yn union o ran ansawdd a nifer. Y nod yw bod yn fwy cystadleuol drwy beidio gorfod storio stoc am gyfnodau hir. Dull 'tynnu' o gynhyrchu sydd yma lle mae'r stoc yn cyrraedd mewn pryd ar gyfer y broses gynhyrchu. Mae'n gofyn am gynllunio gofalus, a buddsoddiad helaeth mewn meddalwedd gyfrifiadurol sy'n cysylltu pob gwerthiant â meddalwedd cynhyrchu'r cyflenwyr. Mae manteision JIT yn cynnwys cadw llai o stoc, gan olygu bod angen llai o le storio. Bydd costau rhent ac yswiriant yn is a bydd llai o gyfalaf gwaith ynghlwm wrth stoc. Ond mae anfanteision. Gall camgymeriadau yn y broses gynhyrchu olygu na fydd archebion cwsmeriaid yn cael eu cyflenwi. Mae'r broses yn dibynnu'n drwm ar gysylltiadau rhagorol â chyflenwyr i sicrhau bod y stoc yn cyrraedd mewn pryd. Efallai hefyd na fydd y busnes yn elwa o fanteision swmp-brynu deunyddiau.

Mewn union bryd Strategaeth rheoli stoc sy'n ceisio cynyddu effeithlonrwydd drwy beidio â chael deunyddiau crai a darnau hyd nes y bydd eu hangen yn y broses gynhyrchu.

- **Cynhyrchu drwy ddefnyddio celloedd gweithio** (*cell production*) yw'r broses o drefnu'r llinell gynhyrchu yn dimau bychain (celloedd), a phob cell yn cael ei chyfrifoldeb ei hun am ran o'r broses gynhyrchu gyfan. Mae pob cell yn gweithredu wedyn yn gyflenwr, yn bwydo'r gell nesaf yn y llinell gynhyrchu, ac yn gwsmer i gelloedd ymhellach yn ôl i lawr y gadwyn. Gall staff ym mhob cell gwblhau llawer o orchwylion i gynhyrchu cynnyrch, felly mae defnyddio dull celloedd yn gallu hwyluso'r broses gan fod gweithwyr yn gallu gwneud gwahanol fathau o waith. Mae'r gell hefyd yn gyfrifol am gwblhau gwaith, cyflenwi adeg absenoldeb a nodi anghenion recriwtio a hyfforddi, sy'n gwneud gweithwyr yn fwy bodlon eu byd. Mae nifer o gryfderau'n perthyn i ddefnyddio celloedd. Er enghraifft, gall gweithio mewn timau wella cyfathrebu, a gall aml-sgilio gymell staff a chreu mwy o hyblygrwydd i fodloni anghenion y busnes yn y dyfodol. Un diffyg efallai yw bod staff yn gallu colli cymhelliant os rhoddir mwy o bwysau arnynt yn barhaus am fwy a mwy o allbwn a gwelliannau, gan arwain at absenoldeb.

Cynhyrchu drwy ddefnyddio celloedd gweithio System lle mae'r llinell gynhyrchu'n cynnwys timau bychain (celloedd), a phob cell yn gyfrifol am baratoi rhan sylweddol o'r cynnyrch terfynol.

- Dull yw **rheoli ar sail amser** sy'n ceisio cwtogi ar yr amser sy'n cael ei wastraffu mewn proses gynhyrchu. Un o fanteision dull rheoli ar sail amser yw ei fod yn lleihau amserau arweiniol (*lead times*) ac yn galluogi ymateb cyflymach i anghenion cwsmeriaid. Ond efallai na fydd busnes yn gallu elwa ar ddarbodion gan na fydd y cwmni ond yn archebu digon o ddeunyddiau i fodloni anghenion cwsmeriaid cyfredol.

Mae manteision cynhyrchu main yn cynnwys:

- Lleihau gwastraff o ran amser gweithwyr a deunyddiau crai, gan arbed costau
- Am fod gweithwyr yn cael eu hannog i weithio mewn timau a chwilio am welliannau, mae hyn yn arwain at gynnydd mewn hyder a boddhad yn ogystal ag arwain at gynnydd mewn cymhelliant a chynhyrchiant.

Mae anfanteision cynhyrchu main yn cynnwys:

- Busnesau efallai'n cael trafferth i fodloni archebion os nad yw eu cyflenwyr yn gallu dosbarthu deunyddiau crai mewn pryd
- Efallai na fydd y darbodion maint o swmp-brynu ar gael oherwydd y pwyslais ar leihau gwastraff, gan arwain at gostau uned uwch.

Ansawdd

Ansawdd yw nodweddion cynnyrch neu wasanaeth sy'n ei alluogi i fodloni anghenion cwsmer. Mae ansawdd yn ffactor pwysig wrth ennill mantais gystadleuol i fusnes: os yw cwsmeriaid yn fodlon o hyd ar gynnyrch neu wasanaeth, byddant yn fwy teyrngar i'r brand, ac felly bydd elw a chyfran y farchnad y cwmni'n cynyddu.

Bydd cwsmeriaid sy'n gwerthfawrogi ansawdd yn aml yn talu pris premiwm am gynnyrch dros gynhyrchion tebyg eraill. Gall ansawdd felly fod yn bwynt gwerthu unigryw (*unique selling point* – USP).

Mae ansawdd yn nod pwysig ar gyfer cynhyrchu main ac mewn union bryd, yn enwedig am fod gwastraff yn cynnwys cynhyrchion nad ydynt yn bodloni anghenion cwsmeriaid. Mae gwahanol ffyrdd o reoli ansawdd:

- **Rheoli ansawdd** (*quality control*) yw'r broses o archwilio cynhyrchion i sicrhau eu bod yn bodloni'r safonau disgwyliedig. Caiff cynhyrchion anfoddhaol eu gwaredu cyn cyrraedd y cwsmer, ar ddiwedd y broses gynhyrchu. Am mai gweithwyr a hyfforddwyd yn arbennig sy'n rheoli ansawdd, mae'n fwy tebygol y bydd unrhyw ddiffygion mewn cynhyrchion yn cael eu gweld cyn i'r nwyddau gyrraedd y cwsmer. Fodd bynnag, efallai bydd problemau os na fydd yr holl staff yn cael eu hannog i fod yn gyfrifol am ansawdd y cynnyrch. Hefyd, nid yw rheoli ansawdd ar ei ben ei hun yn gwaredu gwastraff, dim ond sicrhau bod y cwsmer yn cael cynnyrch o'r ansawdd cywir.
- Nod **sicrhau ansawdd** (*quality assurance*) yw cynllunio systemau lle mae camgymeriadau'n llai tebygol. Byddai'r pwyslais ar sefydlu cyfres o weithdrefnau a safonau y mae'n rhaid i bob gweithiwr eu dilyn. Y nod yw peidio â chael diffygion o gwbl, gan annog staff i wirio eu gwaith eu hunain. Mae manteision yn cynnwys costau is, am fod y gweithdrefnau gwirio'n golygu llai o wastraff a llai o amser yn cael ei dreulio ar ailweithio cynhyrchion. Fodd bynnag, mae'n debyg y bydd rhai staff yn credu nad yw gwirio eu gwaith eu hunain ond yn ymarfer 'ticio'r bocs' heb unrhyw wir werth. Os felly, efallai na chaiff ei wneud yn effeithiol.
- Athroniaeth yw **Rheoli Ansawdd Hollgynhwysfawr** (TQM – *total quality management*) i geisio cael pob gweithiwr i wella ansawdd eu gwaith, gan anelu at gael pethau'n iawn y tro cyntaf a phob tro. Er mwyn cyflawni TQM, gall busnes ddefnyddio'r dulliau canlynol:
  - Annog **gwaith tîm** a fydd yn gyfrwng i rannu gwybodaeth yn agored am unrhyw broblem a sut mae osgoi hynny ar gyfer y dyfodol.
  - Mae pob tîm yn ei dro yn rhan bwysig o'r **gadwyn ansawdd** gyda phob unigolyn a phob tîm i ymddwyn fel cwsmer er mwyn gwneud yn siŵr bod yr ansawdd yn iawn o'r dechrau.
  - Mae magu hyder a boddhad (**grymuso**) ymysg y tîm yn galluogi pob unigolyn mewn tîm i gael mwy o reolaeth ar ei ffordd o drefnu a chwblhau tasgau, gyda'r busnes yn gosod targedau cyffredinol.
  - **Monitro**, sef perfformiad cyfredol pob tîm yn cael ei asesu mewn perthynas â thargedau a sefydlwyd.
  - **Dim diffygion**, lle mae timau ac unigolion yn cael eu cymell i atal camgymeriadau drwy ddatblygu dyhead i wneud eu gwaith yn iawn y tro cyntaf.
  - **Cylchoedd ansawdd**, sef grwpiau o weithwyr sy'n gwneud gwaith tebyg. Maen nhw'n cwrdd yn rheolaidd i ddadansoddi problemau ac awgrymu ffyrdd y gellir gwella ansawdd y cynnyrch.

Rheoli ansawdd
Y broses o archwilio cynhyrchion i sicrhau eu bod yn bodloni'r safonau ansawdd gofynnol.

Sicrhau ansawdd
Proses sy'n anelu at leihau risg o gamgymeriadau drwy sicrhau bod gweithwyr yn cadw at gyfres o weithdrefnau a safonau.

Rheolaeth Ansawdd Hollgynhwysfawr
Dull sy'n annog pob gweithiwr i fod yn gyfrifol am wella ansawdd ei waith.

Cylchoedd ansawdd
Grwpiau o weithwyr sy'n cwrdd yn rheolaidd i nodi gwelliannau posibl mewn ansawdd.

Manteision TQM yw sylwi ar ddiffygion a phroblemau a'u datrys yn gyflym. Gall gwaith tîm a chyfrifoldeb ychwanegol hybu lefelau cymhelliant staff sydd hefyd yn gallu cynyddu ansawdd a chynhyrchiant. Fodd bynnag, bydd yn cymryd amser ac arian i gyflwyno TQM, a fydd yn golygu hyfforddi staff a sicrhau bod y broses gynhyrchu'n ddigon hyblyg i addasu i'r systemau newydd, heb weld y buddion am ychydig.

- Proses yw **meincnodi** (*benchmarking*) lle mae busnesau'n edrych ar sefydliadau tebyg, sydd fel arfer yn perfformio'n well mewn maes penodol, i weld pa wersi y gellir eu dysgu i wella eu perfformiad eu hunain. Ymhlith y manteision mae amlygu meysydd i'w gwella o ran ansawdd, cynhyrchedd a chostau, gan alluogi'r busnes i fod yn fwy cystadleuol. Y broblem yw ei bod yn anodd iawn ymgymryd â meincnodi gyda chystadleuwyr, am nad ydyn nhw'n debygol iawn o fod am ddatgelu cyfrinachau eu llwyddiant. Mae'n tueddu i ganolbwyntio ar brosesau cul yn hytrach na ffactorau eraill sy'n arwain at lwyddiant busnes.

Prynu

Prynu (*purchasing*) yw busnes yn caffael deunyddiau crai neu gynhyrchion.

Mae cyflenwyr yn bwysig yn y broses hon am eu bod yn sicrhau bod y deunyddiau crai/cynhyrchion yn cael eu dosbarthu mewn digon o nifer ar yr adeg gywir a bod eu hansawdd yn dda. Mae gweithio mewn partneriaeth â chyflenwyr yn allweddol i lwyddiant busnes yn y pen draw.

Stoc yw gwerth y cynhyrchion sy'n cael eu cadw ar safle'r busnes ar unrhyw adeg. Gall stoc fod yn ddeunyddiau crai, yn waith ar ei hanner neu'n stoc o nwyddau gorffenedig ar gyfer eu dosbarthu i'r cwsmer. **Rheoli stoc** yw'r ymgais gan fusnesau at sicrhau bod lefelau stoc yn cael eu rheoli'n effeithlon. Mae cydbwysedd rhwng cadw digon o stoc i fodloni'r galw a pheidio â chadw gormod, er mwyn arbed costau cadw stoc.

Rheoli stoc Sut mae busnesau yn ceisio gwneud yn siŵr bod lefelau stoc yn cael eu rheoli'n effeithiol.

Dulliau rheoli stoc

Mae cwmni llwyddiannus yn rheoli ei lefelau stoc yn ddigon isel i ymateb i'r galw yn unig. Mae hyn yn ei dro yn rhyddhau mwy o gyllid i'r busnes.

- Ystyr **rheoli stoc rhag ofn** yw bod y busnes yn cadw hyn a hyn o stoc wrth gefn rhag ofn y bydd problemau fel dosbarthiad hwyr gan gyflenwyr neu alw annisgwyl.
- Ystyr **rheoli stoc mewn union bryd (JIT)** yw na fydd y deunyddiau crai sydd eu hangen ar y broses gynhyrchu yn cyrraedd nes bydd eu hangen. Nod JIT yw lleihau gwariant ar stoc a gwneud y busnes yn fwy cystadleuol drwy gael gwared ar gostau lefelau stoc dianghenraid o uchel. Yn hytrach na chynnal stoc mawr yn y warws, mae'r deunyddiau'n cyrraedd yn union pan fydd eu hangen cyn mynd â nhw'n syth at lawr y ffatri.
- Gellir **rheoli stoc yn gyfrifiadurol** naill ai ar gyfer stoc rhag ofn neu mewn union bryd. Dyma'r broses o wirio stoc â system gyfrifiadurol, a fydd yn ailarchebu unrhyw eitemau y nodwyd eu bod yn ofynnol. Ystyriwch ddesg dalu hunanwasanaeth mewn archfarchnad lle gallwch sganio'r cod bar. Gyda dull rhag ofn, mae stoc yn cael ei ddosbarthu i ystafell stoc i sicrhau bod stoc wrth gefn bob amser. Gyda dull mewn union bryd, mae'r stoc yn cael ei ddosbarthu pan fydd ei angen yn unig. Y feddalwedd sydd wedi penderfynu bod dosbarthiad yn ofynnol i fodloni'r galw uniongyrchol.

Dehongli diagramau rheoli stoc

Gellir cynorthwyo'r broses rheoli stoc drwy ddefnyddio **diagram rheoli stoc** i fesur lefel y stoc dros gyfnod o amser.

Diagram rheoli stoc sy'n mesur lefel stoc dros gyfnod o amser.

Dangosir enghraifft o ddiagram rheoli stoc yn Ffigur 9 a gallwch ei ddehongli fel hyn:

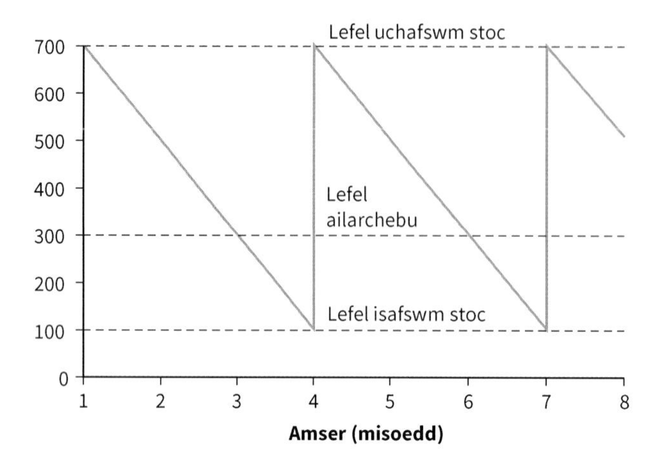

Ffigur 9 Enghraifft o ddiagram rheoli stoc

- **Lefel stoc** yw'r llinell solet sy'n dangos y gwahanol lefelau stoc a gedwir ar unrhyw adeg. Wrth ddefnyddio'r stoc, mae'r lefel yn disgyn o'r chwith i'r dde, er enghraifft pan fydd cynhyrchion yn cael eu prynu. Pan fydd mwy o stoc yn cael ei dosbarthu, mae'r llinell yn codi.
- Mae **lefel uchafswm stoc** yn cynrychioli uchafswm y stoc y mae'r cwmni am ei chadw ar unrhyw adeg.
- Y **lefel ailarchebu** yw'r sbardun i'r system rheoli stoc. Pan fydd stoc yn cyrraedd y lefel hon mae archeb ailgyflenwi awtomatig yn cael ei pharatoi ac fe'i hanfonir at gyflenwyr. Bydd angen ychydig o **amser arweiniol** (*lead time*) ar y cyflenwr i brosesu a gwneud y dosbarthiad.
- **Stoc clustogi** neu **lefel isafswm stoc** yw'r lefel stoc wrth gefn, sy'n cael ei chadw rhag ofn y bydd problem. Mae stoc clustogi'n helpu'r busnes i osgoi bod heb stoc o gwbl os bydd y cyflenwr yn cymryd hirach na'r amser arweiniol arferol i ailgyflenwi. Fodd bynnag, mae cadw stoc clustogi yn gofyn am fwy o le yn y ffatri neu'r siop, yn ogystal â chost cadw'r stoc.
- Yn Ffigur 9 lefel y stoc clustogi yw 100 a'r lefel ailarchebu yw 300. Gwnaed yr ailarcheb gyntaf ym mis 3 a chymerodd 1 mis i gyrraedd, ac erbyn hynny cyrhaeddwyd y pwynt 100, sef y stoc clustogi. Y maint ailarchebu oedd lefel uchaf y stoc (700) heb y stoc clustogi (100) sy'n golygu bod 600 o unedau wedi'u dosbarthu gan y cyflenwr ym mis 4.
- Mewn gwirionedd, bydd gan ddiagramau rheoli stoc lawer mwy o amrywiadau (*fluctuations*) na'r llinellau perffaith a ddangosir yn Ffigur 9. Bydd gwahanol farchnadoedd yn gofyn am wahanol lefelau o stoc clustogi. Rhaid i gyflenwyr fod yn llawer mwy dibynadwy a sensitif i geisiadau ailarchebu neu ni fydd y busnes yn bodloni ei ofynion ailarchebu yn ddigon cyflym. Hefyd, ni fydd digon o stoc yn weddill i gwsmeriaid ei phrynu.

Effaith gormod o stoc neu dim digon o stoc ar y busnes

Gall diffyg rheoli stoc arwain at ormod o stoc neu dim digon o stoc. Ystyr dim stoc yw nad oes gan y busnes unrhyw stoc. Mae hyn yn gallu arwain at golli cynhyrchiad neu golli gwerthiant ac enw da y busnes.

Amser arweiniol
Y cyfan o'r amser mae'n gymryd i gynhyrchu cynnyrch penodol a'i ddosbarthu i'r man gwerthu.

Cyngor i'r arholiad

Fydd ddim rhaid i chi baratoi diagram rheoli stoc ond byddwch yn barod i sôn beth mae'r diagram yn ei ddweud am y ffordd y mae busnes yn rheoli stoc.

Profi gwybodaeth 29

Pam efallai fyddai busnes sy'n gwerthu bwyd ffres am gadw ychydig bach iawn o stoc clustogi?

Cyngor i'r arholiad

Ystyriwch bob amser y math o gynnyrch a sut caiff ei brynu wrth werthuso lefelau stoc mewn cwestiwn arholiad.

Ystyr **gormod o stoc** yw bod gan y busnes ormod o stoc clustogi neu ei fod wedi amcangyfrif lefel y galw yn rhy uchel, ac felly'n cadw gormod o stoc. O ganlyniad, mae angen mwy o le storio yn y warws/siop. Mae mwy o bosibilrwydd y bydd y stoc yn dirywio wrth ei storio ac y bydd angen yswirio'r stoc yn erbyn colled.

Ymchwil a datblygu

Bydd **arloesi** yn digwydd gan y person sydd wedi sefydlu'r busnes yn ogystal â staff a phobl eraill sy'n gysylltiedig â'r busnes.

Diffiniad **ymchwil a datblygu (R&D)** yw ymchwilio i gynhyrchion, eu dyfeisio a'u datblygu, a hynny gan gynnwys profion, adborth a lansio.

Arloesi
Y broses o droi syniad neu ddyfais yn gynnyrch neu wasanaeth sy'n creu gwerth y bydd cwsmeriaid yn talu amdano.

Ymchwil a datblygu (R&D)
Ymchwilio, dyfeisio a datblygu cynhyrchion, gan gynnwys profi, cael adborth a lansio.

Dylunio cynnyrch

Mae dylunio cynnyrch da yn ychwanegu gwerth ac yn creu delwedd a theyrngarwch i frand. Fel y trafodwyd yn gynharach, mae tair elfen yn cydweithio gyda'i gilydd i greu'r cymysgedd dylunio sy'n pwysleisio'r nodweddion canlynol:

- **swyddogaeth:** pa mor effeithiol mae'r cynnyrch yn gweithio
- **estheteg** neu **edrychiad**: sut mae'n apelio at gwsmeriaid o ran ei olwg, ei deimlad neu ei arogl
- **costau creu'r cynnyrch**: y costau i'w weithgynhyrchu a'i gynhyrchu

Gall canolbwyntio ar ymchwil a datblygu helpu busnes i gyflawni'r canlynol:

- gwell cynhyrchion sydd â gwerth ychwanegol iddyn nhw
- mantais gystadleuol drwy ddyluniadau unigryw a nodweddion arbennig i'r cynnyrch
- cynyddu'r pris gwerthu sy'n arwain at gynnydd yn yr elw

Mae anfanteision canolbwyntio ar ymchwil a datblygu yn cynnwys:

- costau uchel ar y dechrau heb unrhyw gyllid yn dod i mewn
- efallai bydd cynhyrchion yn cael eu datblygu nad oes ar gwsmeriaid eu heisiau neu rai sydd wedi dyddio oherwydd newidiadau yn yr hyn y mae cwsmeriaid eu hangen

Darbodion maint

Darbodion maint (*economies of scale*) yw'r costau y gall busnes eu harbed drwy gynyddu ei lefel gynhyrchu, sy'n gallu lleihau'r costau ar gyfer pob uned.

Darbodion maint mewnol yw un o'r swyddogaethau sy'n gysylltiedig â thwf busnes unigol ac maen nhw'n cynnwys:

- **Darbodion maint technegol**, po fwyaf y busnes, mwyaf i gyd y gall fforddio i fuddsoddi mewn peiriannau arbenigol ac awtomeiddio.
- **Arbenigo**, po fwyaf y gweithlu, mwyaf i gyd y gellir rhannu'r cynhyrchu yn wahanol weithgareddau er mwyn cynyddu cynhyrchedd.
- **Darbodion maint prynu**, po fwyaf y busnes, mwyaf y grym sydd ganddo i swmp-archebu deunyddiau a chynhyrchion ar ddisgownt.
- **Darbodion maint rheolaethol**, lle cyflogir arbenigwyr gan weithgynhyrchwyr mawr i oruchwylio cynhyrchu, marchnata ac adnoddau dynol.

Mae **darbodion maint allanol** yn ganlyniad diwydiant cyfan yn tyfu, ac felly'n gallu lleihau costau. Er enghraifft, wrth i nifer y ffonau clyfar sy'n cael eu gwerthu'n fyd-eang gynyddu o 10 miliwn i 100 miliwn, gallai cyflenwyr cydrannau allweddol leihau'r gost o gynhyrchu pob ffôn.

Darbodion maint
Arbedion y gall busnes eu gwneud drwy gynyddu ei lefel gynhyrchu, sy'n gallu lleihau ei gostau ar gyfartaledd.

Darbodion maint mewnol
Sy'n berthynol i dwf busnes unigol.

Darbodion maint allanol
Canlyniad diwydiant cyfan yn tyfu o ran maint.

Mae darbodion maint allanol yn cynnwys:

- **Ymchwil a datblygu**, lle gall gwahanol adrnnau o fewn prifysgol helpu busnes i arloesi wrth greu a datblygu eu cynhyrchion.
- **Adleoli cyflenwyr darnau** yn agosach at weithgynhyrchwyr er mwyn arbed costau. Er enghraifft, mae cyflenwyr darnau ceir Formula 1 wedi'u lleoli'n bennaf yng Nghanolbarth Lloegr, lle mae gweithgynhyrchwyr ceir F1 fel *McLaren* wedi'u lleoli.
- **Buddsoddi mewn seilwaith cysylltiedig â'r diwydiant**, fel rhwydweithiau data cyflym at ddiwydiant meddalwedd Silicon Valley.

Annarbodion maint

Mae **annarbodion maint** (*diseconomies of scale*) yn digwydd pan fydd rheolwyr aneffeithiol yn gyfrifol am gynyddu'r gost am bob uned. Gall hyn ddigwydd oherwydd:

- **Cyfathrebu mewnol gwael** rhwng gwahanol adrannau ac ar hyd pob lefel o awdurdod. Gall arwain at gyfarwyddiadau aneglur, camgymeriadau ac felly llai o gynhyrchiant.
- **Diffyg cymhelliant ymhlith gweithwyr**, a allai fod o ganlyniad i weithwyr yn teimlo wedi'u hynysu a/neu heb eu gwerthfawrogi. Os felly, gallai eu teyrngarwch a'u cynhyrchedd ostwng.
- **Gorfasnachu**, sef busnes yn dioddef anawsterau ariannol yn sgil tyfu'n rhy gyflym. Mae hyn yn benodol o ran llif arian – os bydd busnes yn ehangu'n rhy gyflym, efallai na fydd ganddo ddigon o arian i brynu deunyddiau crai i fodloni'r galw sydd am eu cynnyrch.

Profi gwybodaeth 30

Sut mae busnes fel clwb pêl-droed yn yr Uwch-gynghrair yn cynyddu darbodion maint? Rhowch enghraifft o'r ffordd y gallai elwa'n ariannol ar hyn.

Cwmnïau llai o faint yn goroesi

Yn hytrach na mynd ar drywydd twf a darbodion maint, efallai bydd busnesau'n penderfynu mai'r ffordd orau o fodloni eu hamcanion yw cadw'n gymharol fechan, fel *Bristol Cars*, sy'n gwneud ceir cyflym sy'n cael eu hadeiladu â llaw. Ymhlith manteision cadw'n fach mae:

- **Gwahaniaethu cynnyrch a phwyntiau gwerthu unigryw**, sy'n gallu bod yn allweddol i lwyddiant rhai busnesau bach. Er enghraifft, efallai bydd busnes yn adnabyddus am wasanaeth personol eithriadol a gallai hyn gael ei golli os bydd y busnes yn symud tuag at y farchnad dorfol.
- **Hyblygrwydd o ran ymateb i anghenion cwsmeriaid**. Mae ymateb yn gyflym i anghenion newidiol cwsmeriaid yn llwyddo fel arfer drwy gael strwythur rheoli llai fel y gwelir yn Ffigur 10.
- **Darparu gwasanaeth cwsmeriaid ardderchog**, a all fod yn haws ei wneud mewn busnes bach lle gall staff weld y cyfraniad cadarnhaol y maen nhw'n ei wneud i lwyddiant y busnes.
- **E-fasnach**, sy'n gallu creu busnesau bach llwyddiannus a fyddai'n ei chael yn anodd llwyddo fel arall.

Cyngor i'r arholiad

Nid yw busnesau bob amser yn gallu dewis pa ddull maen nhw'n ei ddefnyddio i dyfu. Efallai mai ffactorau y tu hwnt i'w rheolaeth sy'n penderfynu hyn, fel pryd mae'r cyfle yn codi i ddatblygu'r busnes gwreiddiol. Mae pob busnes yn wynebu gwahanol amgylchiadau.

Cyngor i'r arholiad

Camsyniad yn y byd busnes yw credu bod twf bob amser yn beth da. Mewn gwirionedd, mae busnesau'n aml yn llwyddo i ddechrau oherwydd eu cynnyrch neu wasanaeth unigryw a'u maint bach. Ond mae llawer yn colli'r cryfderau hyn pan fyddan nhw'n tyfu. Gallech ddod i'r casgliad bod twf yn fenter a gall fod yn hunanddinistriol os na chaiff ei reoli'n ofalus iawn.

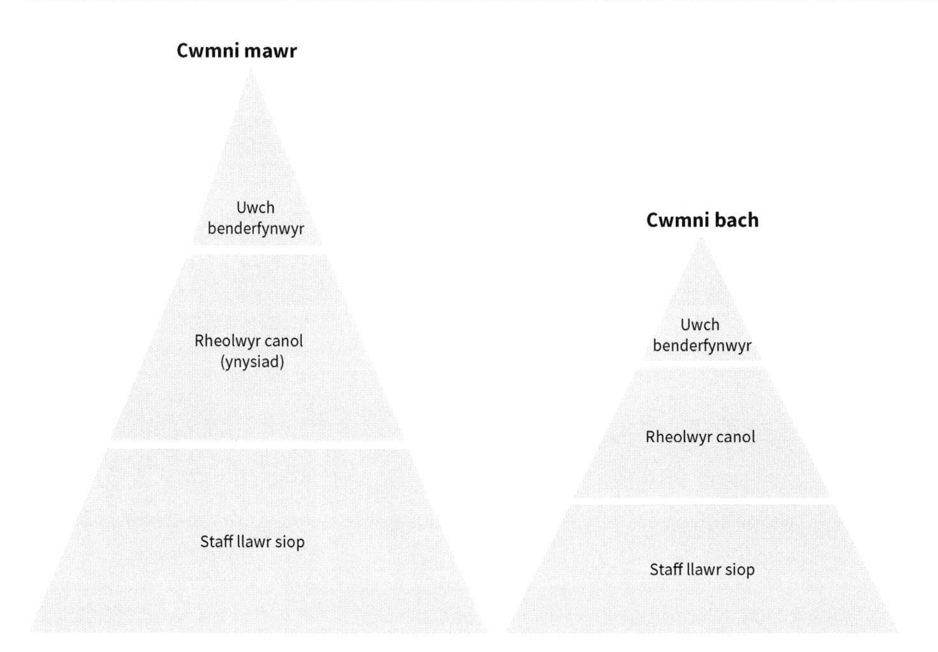

Ffigur 10 Mae gan gwmnïau bach lai o haenau rheoli rhwng top a gwaelod y strwythur

Effaith darbodion ac annarbodion maint ar fusnes a'i randdeiliaid

Effeithiau cadarnhaol:

- Y mwyaf mae'r busnes yn tyfu, mwyaf i gyd y bydd yn elwa ar ddarbodion maint, gan leihau'r costau cyfartalog ar gyfer pob uned.
- Yr isaf yw'r gost cynhyrchu fesul uned yna y mwyaf fydd yr elw i'r busnes. Dewis arall fyddai codi pris is am eu cynnyrch ac ennill cyfran fwy o'r farchnad.
- Mae cyfranddalwyr yn elwa fel y bydd y cwmni'n dod yn fwy proffidiol, bydd gwerth y cyfranddaliadau'n cynyddu a bydd y taliadau difidend yn uwch.

Effeithiau negyddol:

- Y mwyaf yw'r busnes, mwyaf i gyd y risg o ddioddef annarbodion maint. Er enghraifft, busnes yn tyfu cymaint nes colli ei allu i ymateb yn gyflym i newidiadau yn y farchnad sy'n gallu arwain yn y pen draw at golli cyfran o'r farchnad ac elw.
- Gall busnesau mawr ddylanwadu cymaint ar farchnad nes eu bod yn mabwysiadu tueddiadau monopolaidd, ac yn destun craffu gan awdurdodau cystadleuaeth. Yn 2017 cafodd *Google* ddirwy o $2.7 biliwn gan yr Undeb Ewropeaidd am ffafrio ei wasanaethau siopa ei hun mewn canlyniadau chwilio, oherwydd bod ganddyn nhw gymaint o afael ar y farchnad.
- Yn aml gall busnes golli golwg ar y cwsmer a'i ddymuniadau a'i anghenion, gan arwain at anfodlonrwydd, colli gwerthiannau a llai o elw.

Arweiniad i'r Cynnwys

Crynodeb

Ar ôl astudio'r pwnc hwn, dylech fod yn gallu:

- egluro, cyfrifo a gwerthuso ychwanegu gwerth
- egluro a gwerthuso gwahanol ddulliau o gynhyrchu
- egluro, cyfrifo a gwerthuso cynhyrchedd llafur a defnyddio gallu cynhyrchu
- egluro a gwerthuso technoleg newydd mewn cynhyrchu a chynhyrchu main
- egluro a gwerthuso gwahanol ddulliau rheoli ansawdd a dulliau rheoli stoc
- egluro, dehongli a gwerthuso diagram rheoli stoc
- egluro a gwerthuso ymchwil a datblygu, darbodion ac annarbodion maint a pham mae cwmnïau efallai'n penderfynu aros yn fach

Cwestiynau ac Atebion

Mae'r cwestiynau a'r atebion yn y rhan hon o'r llyfr yn dilyn patrwm tebyg i'ch arholiadau. Mae'r cwestiynau'n cynnwys darn o wybodaeth neu ddata ar gyfer gwahanol sefyllfaoedd busnes. Bydd y darnau hyn yn dilyn y math o wybodaeth sy'n cael ei gynnwys mewn arholiadau UG a Safon Uwch CBAC.

Yn union o dan bob cwestiwn mae rhai awgrymiadau gan arholwyr am y ffordd orau i ymdrin â'r cwestiwn (a nodir gan yr eicon hwn ⓔ).

Ar gyfer pob cwestiwn mae ateb sydd wedi derbyn gradd is (Myfyriwr A) nag ateb (Myfyriwr B) sydd wedi derbyn gradd gwell. Mae'r sylwadau sy'n dilyn pob ateb (a nodir gan yr eicon ⓔ) yn nodi cryfderau a gwendidau'r ateb, a sut y gellid ei wella.

Yr arholiad ei hun

Mae cymhwyster **CBAC Busnes Uwch Gyfrannol (UG)** yn cynnwys gofynion **UG Uned 1** a gofynion **UG Uned 2**.

Mae **UG Uned 1** yn werth 60 marc ac mae'n cyfrif am 15% o'r cymhwyster. Mae'r arholiad ar gyfer yr uned hon yn 1 awr 15 munud o hyd. Mae'n cynnwys cwestiynau atebion byr a chwestiynau strwythuredig.

Mae **UG Uned 2** yn werth 80 marc ac mae'n cyfrif am 25% o'r cymhwyster. Mae'r arholiad ar gyfer yr uned hon yn 2 awr o hyd. Mae'n cynnwys cwestiynau ymateb i ddata ac mae'n cynnwys y cyfan o gynnwys y cwrs Uwch Gyfrannol.

Mae cymhwyster **CBAC Busnes Safon Uwch** yn cynnwys gofynion CBAC Busnes UG sef UG Uned 1 ac UG Uned 2, yn ogystal â dwy uned arall sef **U2 Uned 3** ac **U2 Uned 4**.

Mae **U2 Uned 3** yn werth 80 marc ac mae'n cyfrif am 30% o'r cymhwyster. Mae'r arholiad ar gyfer yr uned hon yn 2 awr 15 munud o hyd. Mae'n cynnwys cwestiynau ymateb i ddata a chwestiynau strwythuredig.

Mae **U2 Uned 4** yn werth 80 marc ac mae'n cyfrif am 30% o'r cymhwyster. Mae'r arholiad ar gyfer yr uned hon hefyd yn 2 awr 15 munud o hyd. Mae'n cynnwys astudiaeth achos ac un traethawd o ddewis o dri.

Mae marciau o werth gwahanol yn cael eu rhoi ar gyfer pob cwestiwn ac ateb. Cofiwch edrych yn fanwl ar y marciau hyn fel eich bod yn gallu rhannu eich amser yn deg yn yr arholiad.

Bydd y canllaw hwn yn ymdrin â chwestiynau sy'n berthnasol i swyddogaethau busnes yn unig. Ewch i **Busnes – Cyfleoedd Busnes** (ISBN: 0781913245146) am gwestiynau sy'n ymwneud â chyfleoedd busnes.

Sgiliau arholiad

Ar gyfer y cwestiynau 2 farc a 3 marc, mae gofyn gwybodaeth am dermau busnes. Efallai bydd y cwestiynau hyn hefyd yn gofyn i chi gyfrifo atebion gan ddefnyddio fformiwlâu rydych wedi'u dysgu a data sydd wedi'i gynnwys o fewn y darnau y byddwch yn eu derbyn yn yr arholiad.

Mae cwestiynau sy'n werth 4 neu 6 marc yn gofyn am wybodaeth o dermau busnes, cymhwysiad penodol y term busnes o'r deunydd yn y darnau a mantais a/neu anfantais y term busnes mewn perthynas â'r deunydd yn y darn/darnau. Efallai hefyd y bydd y cwestiynau hyn yn gofyn i chi gyfrifo atebion gan ddefnyddio fformiwlâu rydych wedi'u dysgu a data yn y deunydd yn y darnau. Bydd yr arholwr yn marcio'r math hwn o gwestiwn 'o'r gwaelod i fyny'. Mae hyn yn golygu bod pob marc yn cael ei ennill yn unigol, felly byddwch chi'n cael marciau am fantais, er enghraifft, hyd yn oed os nad ydych wedi darparu unrhyw gyd-destun o'r deunydd yn y darnau. Cyd-destun yw unrhyw beth unigryw rydych chi'n ei drafod o'r darn yn eich ateb. Rhaid iddo gyfeirio'n ôl i'r cwestiwn.

Mae cwestiynau sy'n werth 8, 10, 12 neu 15 marc yn gofyn am werthuso'r term busnes gan ddefnyddio tystiolaeth benodol o'r darn. Y ffordd fwyaf diogel o wneud hyn yw llunio dadl gref yn **trafod dwy ochr o'r ddadl**. Dylech hefyd geisio llunio **barn** am y busnes a'r termau allweddol a drafodir, ynghyd â chynnig atebion i broblemau busnes ar sail y darn sy'n cael ei gynnwys o fewn y cwestiwn yn ogystal â'ch gwybodaeth fusnes. Bydd yr arholwr yn marcio'r mathau hyn o gwestiwn o safbwynt 'ffit orau'. Mae hyn yn golygu bydd yr arholwr yn rhoi marciau i chi am y lefel uchaf o ymateb a ddangoswyd yn eich ateb. Ar gyfer y cwestiwn 8 marc, i gael marciau llawn mae angen trafod dau reswm/ffactor gyda dadl ac iddi ddwy ochr, ond bydd lefel y manylder a ddisgwylir yn llai nag ar gyfer y cwestiynau 10, 12 neu 15 marc. Mae'n werth pwysleisio'r datganiad yn rhan uchaf (AA4) cynlluniau marcio CBAC:

> Gwerthuso gwybodaeth feintiol ac ansoddol i lunio barn wybodus a chynnig atebion ar sail tystiolaeth i faterion busnes.

Techneg wrth werthuso cwestiynau 12- neu 15-marc

Y rhain yw'r atebion mwyaf heriol i'w hateb ar y papur gan fod yr arholwr yn edrych am werthusiad manwl. I'ch helpu i gael y marciau AA4 uchaf, gallai fod o gymorth i chi ystyried un o'r agweddau canlynol yn eich gwerthusiad: :

- **Marchnad.** Beth yw nodweddion y farchnad y mae'r busnes yn gweithredu ynddi? Sut mae'r rhain yn dylanwadu ar eich casgliad? Er enghraifft, mae *Apple* yn gwneud ffonau symudol clyfar sy'n farchnad sy'n newid yn gyflym a lle mae angen gwario arian mawr ar ymchwil er mwyn sicrhau y bydd yn gwmni blaengar sydd am ennill y blaen ar gwmniau eraill.
- **Amcanion.** Beth yw amcanion y busnes? Sut mae amcanion y busnes yn cyd-fynd â'r sefyllfa y mae ynddi? Sut mae hyn yn dylanwadu ar eich casgliad? Er enghraifft, efallai mai nod cwmni *Apple* yw ennill y cyfran fwyaf o'r farchnad, felly efallai mai'r peth pwysicaf yw cael y cynnyrch mwyaf newydd waeth beth fo'r gost.
- **Cynnyrch.** Pa gynhyrchion neu wasanaethau mae'r busnes yn eu gwerthu? Sut allai hyn ddylanwadu ar eich barn? Er enghraifft, efallai bydd *Apple* yn cyflwyno *iPhone* rhatach mewn lliwiau llachar i sicrhau mwy o gyfran o'r farchnad.
- **Sefyllfa.** Beth yw sefyllfa bresennol y busnes? A yw hyn yn effeithio ar eich casgliad? Er enghraifft, gyda gwerthiant ffonau clyfar yn cyrraedd eu hanterth, mae angen i *Apple* ddod o hyd i strategaeth estyn, fel gwerthu i farchnadoedd byd-eang eraill (e.e. India) i gynnal/gwella ei gyfran o'r farchnad, ac felly'r angen am ffôn rhatach.

Mae angen i chi ddarllen y darn yn ofalus iawn er mwyn sicrhau eich bod yn dewis a dethol yr elfennau pwysicaf. Mae'n werth cofio y bydd angen i chi ystyried ffactorau ehangach sy'n effeithio'r busnes. Ffactorau pwysig sy'n dylanwadu ar sut rydych chi'n ateb y cwestiwn.

1 CBAC UG

Y darn

Mae *HMV* yn gwerthu recordiau a nwyddau amlgyfrwng ar y stryd fawr. Yn dilyn colledion, maen nhw wedi brwydro'n arwrol a hynny llai na 4 blynedd ers ei hachub rhag methiant ariannol gan *Hilco*, sy'n gwmni cyfalaf mentro. O £170 miliwn o ddyled yn 2013, ailstrwythurwyd (*restructured*) y busnes, gan leihau nifer ei siopau o 223 i 140.

Roedd cyfrifon ar gyfer mis Ionawr i fis Rhagfyr 2013 yn dangos bod y gadwyn wedi gwneud £16 miliwn o elw gweithredol ar £311.2 miliwn o werthiant. Mae'r perfformiad hwn yn dangos yn glir iawn sut y llwyddwyd i newid y sefyllfa ariannol yn wyneb cystadleuaeth gan gwmnïau fel *Amazon* ac *Apple* a'r uwchfarchnadoedd. Erbyn hyn, mae gan *HMV* 16.6% o gyfran y farchnad amlgyfryngau yn y DU, a hynny'n ail yn unig i *Amazon* sy'n hawlio 23.1% o'r farchnad.

Yn ôl *Hilco*, mae'r holl siopau yn broffidiol erbyn hyn oherwydd rhaglen ailstrwythuro ar raddfa fawr a chyflwyno cymhellion ariannol ac anariannol i'r gweithwyr. Cwtogwyd yn sylweddol ar ddyledion a chostau canolog. Er enghraifft, mae *HMV* wedi canoli ei broses archebu stoc yn Llundain i gwtogi ar nifer yr eitemau diffygiol a anfonir i'r siopau, ac mae rhenti siopau a thelerau cyflenwyr wedi'u trafod o'r newydd. Hefyd, newidiwyd cynllun ei siopau i'w gwneud yn haws cael lle i brofiadau cwsmer fel ymweliadau bandiau a diwrnodau arwyddo. Ailwampiwyd y siop ar-lein er mwyn dosbarthu archebion cyn pen diwrnod, gyda'i ap traws-lwyfannau, gyda phrisiau'r un fath â chystadleuwyr neu'n is na nhw, gan gynyddu'r gwerthiant. Mae poblogrwydd finyl hefyd wedi effeithio'n gadarnhaol ar *HMV*, gan ddenu mwy o gwsmeriaid i'r siopau. Mae ap ffrydio newydd ar gyfer cerddoriaeth a fideo ar y gweill.

Elw gweithredol

Diffiniwch ystyr elw gweithredol. (2 farc)

ⓔ Mae'r gair gorchymyn 'diffiniwch' yn golygu bod angen i chi roi diffiniad o'r term busnes yn y cwestiwn ac mae angen i hwn fod yn glir.

AA1: ar gyfer deall beth yw ystyr y term busnes a ddefnyddiwyd. Mae hwn yn werth hyd at 2 farc a gall gynnwys diffiniad manwl neu ddiffiniad sylfaenol. Mae diffiniadau cywir yn hollbwysig i ennill marciau.

Myfyriwr A

Yr elw gweithredol yn *HMV* yw £16 miliwn. [a]

ⓔ **Dyfarnwyd 0/2 marc.** [a] Mae'r myfyriwr wedi ceisio cysylltu rhan berthnasol o'r darn â'r term busnes, ond nid yw wedi cysylltu hyn â'r diffiniad ac nid yw hyd yn oed wedi nodi o ble yn y darn y cymerwyd y ffigur hwn, felly nid yw'n ennill marciau o gwbl.

Myfyriwr B

Elw gweithredol yw faint o elw a wnaethpwyd i gyd o weithgareddau masnachu'r busnes cyn ystyried sut mae'r busnes yn cael ei gyllido. [a] Elw gweithredol = elw crynswth – treuliau gweithredol eraill. [b]

e Dyfarnwyd 2/2 marc. a Mae'r myfyriwr wedi rhoi diffiniad manwl gywir o elw gweithredol am 1 marc AA1. b Wedyn mae wedi rhoi'r fformiwla i gyfrifo elw gweithredol sydd hefyd yn ennill 1 marc AA1.

Mae Myfyriwr A sydd wedi sgorio 0 marc (gradd U) yn dangos diffyg gwaith paratoi a dealltwriaeth o'r sgiliau sydd eu hangen i ateb y cwestiwn. Mae gan Myfyriwr B wybodaeth ragorol am ddiffiniad a fformiwla elw gweithredol i sicrhau marciau llawn.

Dulliau cymhelliant ariannol ac anariannol

I ba raddau ydych chi'n cytuno â'r farn mai dulliau ariannol ac anariannol o gymell gweithwyr a gafodd yr effaith fwyaf ar lwyddiant *HMV*? (8 marc)

e Mae'r ymadroddion gorchymyn 'i ba raddau' ac 'ydych chi'n cytuno' yn golygu bod angen i chi ddarparu asesiad trwyadl o'r dystiolaeth ar ddwy ochr y ddadl, h.y. manteision ac anfanteision gyda gwerthusiad. Bydd angen i chi baratoi ateb sy'n seiliedig ar y darn sy'n trafod manteision ac anfanteision yn ogystal â gwerthusiad. Mae angen hefyd i chi roi casgliad a llunio barn am y term busnes yng nghyd-destun y darn sydd wedi'i gynnwys yn y cwestiwn a chynnwys damcaniaethau busnes perthnasol eraill. Gellir defnyddio'r darn i roi cymhwysiad (*application*).

AA2: am gymhwyso dulliau o sicrhau cymhelliad ariannol yng nghyd-destun *HMV*. Dylech gymhwyso'r cyd-destun yn gywir. Mae hwn werth hyd at 2 farc.

AA3: am roi dadansoddiad da o'r gwahanol ddulliau ariannol ac anariannol o gymell gweithwyr *HMV*, a ddylai fod yn gytbwys, yn fanwl, wedi'i resymu a'i ddatblygu'n dda. Mae hwn yn werth hyd at 2 farc.

AA4: am roi gwerthusiad ardderchog a chytbwys o faint yr effaith y mae dulliau ariannol ac anariannol o gymell staff wedi'i chael ar lwyddiant *HMV*. Dylai'r manteision a'r anfanteision fod yn gytbwys gan ganolbwyntio ar y mater allweddol. Dylid llunio barn gyda sylwadau ychwanegol a gosod pwyslais ar y pwyntiau rydych wedi'i gwneud. Mae hwn yn werth hyd at 4 marc.

Myfyriwr A

Cymhellion ariannol yw dulliau o dalu gweithwyr er mwyn eu cymell i gyflawni amcanion y busnes. a Efallai mai un dull ariannol o gymell staff yn *HMV* oedd bonws, sef taliad ychwanegol i gydnabod y cyfraniad a wnaed i'r busnes er mwyn cyrraedd targed. b Gallai fod yn rhoi targed i staff faint o werthiant y dylen nhw anelu ato pob wythnos neu bob mis. O gyrraedd y targed hwn fe fydden nhw'n derbyn taliad ychwanegol i'w cyflog arferol. c Dywedir bod *HMV* bellach yn broffidiol am ei fod wedi defnyddio cymhellion ariannol gyda'i weithwyr. Mae hyn yn golygu felly fod y taliad ychwanegol wedi cael effaith gadarnhaol ar lwyddiant *HMV*. d Ond, mae'r testun yn dweud hefyd bod cymhellion eraill oedd heb fod yn rhai ariannol yn rhan o lwyddiant *HMV* e. Mae dulliau heb fod yn ariannol yn cynnwys gweithio mewn tîm a rhoi grym ac awdurdod i staff wneud penderfyniadau a rheoli eu gwaith eu hunain. f Un o fanteision grymuso a gweithio mewn tîm yw bod llai o gost ariannol i'r busnes am eu bod fel arfer yn cymell staff sydd am wneud mwy o benderfyniadau yn y gweithle. g Felly mae cymhellion anariannol yn llawer rhatach i fusnes eu defnyddio i wella perfformiad gweithwyr ac fe fyddan nhw wedi chwarae rhan bwysig mewn dod â llwyddiant ariannol i *HMV*. h I gloi, mae'n debygol bod cymhellion ariannol ac anariannol wedi cyfrannu i'r un graddau at lwyddiant *HMV*. i

e Dyfarnwyd 4/8 marc. a b Mae'r myfyriwr wedi cofio'r diffiniadau o gymhellion ariannol a bonws ond am nad oes marciau'n cael eu dyfarnu am wybodaeth, nid yw hyn yn ennill marciau o gwbl. c d Mae'r myfyriwr wedi rhoi enghraifft gyd-destunol gyfyngedig o sut y gallai bonws weithio gyda staff yn *HMV* am 1 marc AA2. Mae budd cyfyngedig defnyddio bonws yn cael ei gysylltu â llwyddiant *HMV* am 1 marc AA3. e f Mae'r myfyriwr yn defnyddio'r cyd-destun i nodi bod gwobrau anariannol hefyd efallai wedi cyfrannu at lwyddiant *HMV* ac mae'n diffinio dau fath. Fodd bynnag, am fod y cyd-destun a ddefnyddiwyd yn wan ac am nad oes unrhyw farciau am wybodaeth, nid yw hyn yn ennill marciau o gwbl. g h Mae'r myfyriwr yn nodi mantais defnyddio dulliau anariannol o gymell staff ac yn rhoi gwerthusiad cyfyngedig o ddulliau anariannol o gymharu ag ariannol am 1 marc AA3 ac 1 marc AA4. i Mae'r myfyriwr yn ceisio dod i gasgliad ond am ei fod yn gasgliad generig iawn ac am nad yw'n gwneud tybiaethau nid yw'n ennill unrhyw farciau pellach.

Myfyriwr B

Efallai mai cymhellion ariannol fel tâl comisiwn sydd wedi cael yr effaith fwyaf ar lwyddiant *HMV* am y byddai hyn yn annog staff yn y 140 o siopau i hyrwyddo CDs i gwsmeriaid. a Mae hyn yn wir oherwydd am bob CD ychwanegol maen nhw'n eu gwerthu yna fe fydden nhw'n derbyn canran o'r gwerthiant mewn comisiwn, gan gymell y gweithwyr felly i gynyddu'r refeniw ar draws y gadwyn; efallai mai hwn yw un o'r rhesymau pam mae *HMV* yn broffidiol ond hefyd pam mae'r cwmni wedi llwyddo i ennill 16.6% o'r farchnad. b Fodd bynnag, roedd *HMV* fel petai mewn trafferth pan gafodd ei gymryd drosodd felly efallai nad oedd gan *Hilco* yr arian i gynnig comisiwn i'r staff o gofio bod 223 o siopau bryd hynny o'i gymharu â'r 140 sy'n weddill erbyn hyn. c Gallai fod yn fwy tebygol fod llwyddiant *HMV* o ganlyniad i gymhellion anariannol, yn unol â damcaniaeth cymhelliant Herzberg sy'n awgrymu mai cyfoethogi swydd a grymuso fydd yn cynhyrchu'r perfformiad gorau ymhlith gweithwyr. d Mae'n ymddangos eu bod wedi gorfod newid strwythur y busnes yn sylweddol ac mewn sefyllfa o'r fath mae'n ymddangos bod cymhellion anariannol wedi cael eu defnyddio i wella perfformiad staff a siopau. e Efallai bod grymuso rheolwyr wedi'u galluogi i ymateb i sefyllfaoedd lleol heb fawr o ymgynghori â phencadlys *HMV*. Er enghraifft, newid cynllun siop i weddu i ardal lle mae finyl yn fwy poblogaidd na CDs. f Am fod staff yn *HMV* yn tueddu i fod yn frwd dros gerddoriaeth a chyfryngau amlgyfrwng efallai eu bod wedi ymateb yn fwy cadarnhaol i faterion a anogodd hunan gyflawniad, yn hytrach na'u bod eisiau dull o wobrwyo, fel comisiwn. g Gallai hyn fod wedi arwain at staff yn teimlo eu bod wedi cael eu gwerthfawrogi'n fwy, am eu bod yn gallu cymryd rhan yn y broses benderfynu leol gan arwain at fwy o gymhelliant, gwell cynhyrchedd, gwell gofal i gwsmeriaid a chynnydd yn y gwerthiant. h Fodd bynnag, efallai ei fod yn gyfuniad o ffactorau fel gwell ffocws ar anghenion y farchnad fel gwerthu mwy o finyl a thorri costau'n sylweddol a gafodd yr effaith fwyaf ar lwyddiant *HMV*. Ond rhaid cofio ei bod yn gwbl angenrheidiol i gael staff brwdfrydig sydd â chymhelliant uchel os ydy unrhyw newidiadau i'r busnes i lwyddo. i

e **Dyfarnwyd 8/8 marc.** a a b Defnyddiodd y myfyriwr gyd-destun da i ddadansoddi pam y gallai cymhellion ariannol fod wedi cael yr effaith fwyaf ar lwyddiant *HMV* am 1 marc AA2 ac 1 marc AA3. c–e Mae'r myfyriwr yn gwerthuso'n fanwl pam y gallai cymhellion anariannol fod wedi cael yr effaith fwyaf ar lwyddiant *HMV* gan ddefnyddio cyd-destun yn dda am 1 marc AA4 ac 1 marc AA2. c–e Mae'r myfyriwr yn defnyddio'r cyd-destun i nodi'n fanwl sut gallai gwobrau anariannol fod yn fwy tebygol o fod wedi cael yr effaith fwyaf ar lwyddiant *HMV* gyda dadansoddiad ardderchog am 1 marc AA3 ac 1 marc AA4. Mae'r myfyriwr wedyn yn gwerthuso cymhellion ariannol ac anariannol yng nghyd-destun y busnes ehangach gyda dealltwriaeth glir o nifer o ffactorau eraill a allai fod wedi arwain at lwyddiant *HMV*, gan lunio cyfres o gasgliadau gan gynnwys pwysigrwydd staff am 2 farc AA4.

Mae ateb Myfyriwr A yn dangos diffyg dealltwriaeth o'r cwestiwn, er bod ganddo ddealltwriaeth a dadansoddiad sylfaenol o faterion ac mae'n derbyn gradd D. Mae Myfyriwr B yn rhoi gwerthusiad cytbwys a threfnus o gymhellion ariannol ac anariannol yng nghyd-destun y busnes, ond mae hefyd yn cysylltu hyn â damcaniaethau cymhelliant perthnasol a'r sefyllfa fusnes ehangach, cyn dod i gasgliad craff iawn, sy'n deilwng iawn o A*.

Sianeli dosbarthu

I ba raddau ydych chi'n cytuno â'r farn y bydd cynnig dulliau dosbarthu amrywiol i'w gwsmeriaid yn sicrhau llwyddiant tymor hir i *HMV*? (12 marc)

e Mae'r geiriau gorchmynnol i ba raddau' ac 'ydych chi'n cytuno' yn golygu bod angen i chi ddarparu asesiad trwyadl o'r dystiolaeth ar ddwy ochr o ddadl, h.y. manteision ac anfanteision gyda gwerthusiad. Dylech baratoi ateb sydd wedi'i seilio ar y darn sy'n cael ei gynnwys o fewn y cwestiwn sy'n trafod manteision ac anfanteision y cysyniad busnes. Mae angen hefyd i chi ddod i gasgliad a llunio barn am y term busnes yng nghyd-destun y darn sydd wedi'i gynnwys yn y cwestiwn yn ogystal â chynnwys damcaniaethau busnes perthnasol eraill. Gellir defnyddio'r darn i ddarparu cymhwysiad.

AA1: am wybodaeth a dealltwriaeth o'r term busnes yn y cwestiwn, fel diffiniad manwl ar gyfer dosbarthiad. Mae hyn yn werth hyd at 2 farc.

AA2: am gymhwyso'n dda enghreifftiau o ddulliau dosbarthu a ddefnyddiwyd yng nghyd-destun *HMV*. Dylech gymhwyso'r cyd-destun yn gywir. Mae hyn yn werth hyd at 2 farc.

AA3: am roi dadansoddiad da o'r sianeli dosbarthu amrywiol a ddefnyddir gan *HMV*. Dylai'r dadansoddiad fod yn gytbwys, yn fanwl, wedi'i resymu a'i ddatblygu'n dda. Mae hyn yn werth hyd at 2 farc.

AA4: am roi gwerthusiad ardderchog o effeithiau tebygol sianeli dosbarthu amrywiol ar *HMV*. Dylai'r manteision ac anfanteision fod yn gytbwys a chanolbwyntio ar y mater allweddol. Dylid llunio barn gyda sylwadau sy'n cefnogi'r farn honno. Mae hyn yn werth hyd at 6 marc.

Myfyriwr A

Mae dosbarthiad yn golygu'r dulliau y mae busnes yn eu defnyddio i gael eu cynhyrchion i'r cwsmeriaid. **a** Gellir gwneud hyn drwy sianeli dosbarthu sy'n defnyddio adwerthwr i werthu i'r cwsmer gyda *HMV* fel yr adwerthwr yn yr achos hwn. **b** Un o fanteision i *HMV* o gael gwahanol ddulliau dosbarthu yw bod cwsmeriaid yn gallu prynu eu cynhyrchion yn y mannau lle mae'n gyfleus iddyn nhw. **c** Er enghraifft, gall cwsmeriaid brynu record o siop *HMV* neu ei harchebu ar eu ffôn symudol i'w dosbarthu i'w cyfeiriad cartref. **d** Drwy gael nifer o sianeli dosbarthu i gwsmeriaid, gall *HMV* fodloni anghenion cynulleidfa ehangach a gwneud mwy o werthiant. **e** Bydd hyn yn arwain at gynyddu gwerthiant a chynyddu elw o'u elw gweithredol yn 2013 o £311.2 miliwn. **f** Fodd bynnag, bydd cael nifer fawr o sianeli dosbarthu yn golygu bod costau mawr gan *HMV* a hynny efallai'n golygu llai o elw yn gyffredinol. **g**

e **Dyfarnwyd 6/12 marc.** **a** a **b** Mae'r myfyriwr wedi cofio diffiniad o ddosbarthiad ac wedi datblygu hyn am 2 farc AA1. Mae'r myfyriwr hefyd wedi cael 1 marc AA2 am gysylltu cyd-destun *HMV* yn gywir â dosbarthu. Mae'r myfyriwr wedi nodi mantais sylfaenol i *HMV* o gael mwy nag un sianel ddosbarthu am 1 marc AA3.

d Datblygir y fantais yn gywir i gael marc dadansoddi pellach sef 1 marc AA3. **e** ac **f**. Mae'r myfyriwr yn datblygu'r fantais ymhellach gyda defnydd da o gyd-destun i ennill 1 marc AA2. Am fod cynifer â phosibl o farciau dadansoddi wedi'u hennill, ni ellir rhoi unrhyw farc pellach am y dadansoddiad hwn. **g** Mae'r myfyriwr yn ceisio nodi anfantais nifer fawr o sianeli dosbarthu ond mae hyn yn arwynebol ac nid yw'n dangos unrhyw werthusiad felly nid yw'n ennill unrhyw farc na lefel pellach.

Myfyriwr B

Un o fanteision cynnig nifer o ddulliau dosbarthu i gwsmeriaid i gwmni HMV yw ei fod yn debygol o fodloni dymuniadau ac anghenion cynulleidfa ehangach, er enghraifft y rheini sydd am ymweld â siopau am brofiad arwyddo gan fand a'r rheini sydd am archebu cerddoriaeth ar eu ffôn symudol yn unig a derbyn y cynnyrch gartref. **a** O ganlyniad i'r gynulleidfa ehangach hon gall *HMV* wneud ei hun yn wahanol i *Amazon* ac *Apple* sydd ddim yn cynnig ymweld â siop gerddoriaeth. Mae'n amlwg bod hyn wedi bod yn ffactor gadarnhaol yn y 'gweddnewidiad' gan *Hilco* o *HMV* gan fod ganddyn nhw ar hyn o bryd 16.6% o'r farchnad. **b** Mae *HMV* hefyd yn gobeithio ehangu ei sianeli dosbarthu i gynnwys ap cerddoriaeth a'r ffôn symudol. Gallai hyn gryfhau ei gyfran o'r farchnad ymhellach er mwyn iddo barhau i arloesi ar sail dymuniad cwsmeriaid i weld dulliau newydd o ddosbarthu cynnyrch. **c** O ganlyniad, mae elw gweithredol yn debygol o barhau i gynyddu ymhellach o'r £311.2 miliwn a wnaethbwyd yn 2013. **d**

Fodd bynnag, bydd ehangu sianeli dosbarthu'n barhaus yn costio *HMV* o ran yr ymchwil a'r datblygiad staff sydd ei angen o ran diweddaru'r systemau Technoleg Gwybodaeth yn gyson. **e** Mae cynnig gwasanaeth dosbarthu 1 dydd, er enghraifft, yn debygol o fod yn ddrud iawn o'i gymharu â dosbarthiadau post arferol. Felly, gallai costau gweithredol arwain at leihad yn elw *HMV* ar werthiant o CDs ac LPs. **f** O ganlyniad gallai elw'r cwmni ostwng yn y tymor hir os nad ydy *HMV* yn cadw llygad barcud ar gostau a gwneud yn siŵr nad yw'r cwmni yn mynd i ddyled. Gallai hynny arwain at gau siopau fel a ddigwyddodd yn Ionawr 2013. **g** Mae angen hefyd i *HMV* fod yn ofalus gyda materion fel pris, oherwydd efallai bydd *Amazon* ac *Apple* yn gallu gwneud mwy o arian gan fod cwsmeriaid yn lawrlwytho o'r we yn lle ymweld â siop **h**. Yr allwedd i lwyddiant parhaus *HMV* yw parhau i arloesi a chynnig profiadau unigryw i gwsmeriaid, fel bandiau'n arwyddo copïau mewn siopau, a hefyd cadw'n gystadleuol o ran pris a chost ar draws pob dull dosbarthu. **i** Rhaid i'r ap ffrydio, er enghraifft, gynnig rhai nodweddion arloesol i'w cwsmeriaid fel sesiynau cerddorol arbennig a chreu fideos cyn ac yn ystod lansio cerddoriaeth newydd er mwyn sicrhau mantais gystadleuol a sicrhau bod yr elw a'u cyfran o'r farchnad yn parhau i gynyddu'n llwyddiannus. **j** Fel hyn gall *HMV* sicrhau ei lwyddiant tymor hir drwy sianeli dosbarthu amrywiol ond drwy i'r cwmni gynnig a defnyddio dulliau marchnata amrywiol. **k**

e **Dyfarnwyd 12/12 marc.** **a** Mae'r myfyriwr wedi nodi mantais nifer o ddulliau dosbarthu i *HMV* gydag enghreiffitau cyd-destunol da am 2 farc AA1 a 2 farc AA2. **b** Eglurir y fantais yn fanwl gan ddefnyddio tystiolaeth o'r cyd-destun am 1 marc AA3. **c** a **d** Mae'r myfyriwr yn datblygu ymhellach effaith gwahanol sianeli dosbarthu am 1 marc AA3. **e** – **g** Mae'r myfyriwr yn gwerthuso effaith ehangu sianeli dosbarthu ar *HMV* gan ddefnyddio tystiolaeth a datblygiad cyd-destunol yn dda am 2 farc AA4. **h** a **i** Mae'r myfyriwr wedyn yn gwerthuso pwysigrwydd dosbarthu yng nghyd-destun y cymysgedd marchnata gan ddefnyddio tystiolaeth yn dda am 2 farc AA4. **j** Mae'r myfyriwr hefyd yn gwerthuso ac yn awgrymu ateb i *HMV* i arloesi ei gynhyrchion a sianeli dosbarthu gyda chyd-destun am 1 marc AA4. **k** Daw i gasgliad gan gyfeirio at bwysigrwydd sianeli dosbarthu yng nghyd-destun y cymysgedd marchnata am 1 marc AA4.

Mae Myfyriwr A yn llwyddo i ennill hanner o'r marciau (gradd D) drwy ddefnyddio tystiolaeth yn rhesymol ynghyd â'i wybodaeth am sianeli dosbarthu, gyda rhai manteision. Fodd bynnag, nid yw'r ateb yn ceisio llunio unrhyw werthusiad na barn. Mae Myfyriwr B yn defnyddio'r darn o fewn y cwestiwn yn dda i nodi mantais a risg mewn cyd-destun ac mae'n datblygu ei sylwadau yn dda. Mae'r ateb yn dangos dealltwriaeth eang o sianeli dosbarthu ac yn eu gwerthuso mewn perthynas â'r cymysgedd marchnata ar gyfer *HMV*, gan lunio barn a dod i gasgliad sydd wedi'i resymu'n ofalus ac oherwydd hynny mae'n haeddu marciau llawn a gradd A.

2 CBAC UG

Y darn

Sefydlwyd cwmni *J D Weatherspoon* yn 1979 a daeth yn gwmni cyfyngedig cyhoeddus (ccc) yn 1992. Erbyn hyn mae gan y cwmni bellach 750 o dafarndai sydd hefyd yn gweini bwyd, a hon yw'r ail gadwyn fwyaf o dafarndai yn y DU. Un o'r rhesymau dros ei lwyddiant yw bod y tafarndai'n cyfuno bwyd a diodydd rhad ag oriau agor sy'n ymestyn o frecwast cynnar hyd at bryd nos hwyr hyd at ganol nos. Mae gan y busnes dargedau gwerthu uchel a heriol o ran agor safleoedd newydd a gwerthiant.

Hyd at 24 Ionawr 2016 yr elw cyn treth oedd £36 miliwn, i lawr 3.8% o gymharu â 12 mis cyn hynny. Fodd bynnag, cynyddodd refeniw am yr un cyfnod i £790.3 miliwn. Roedd hyn yn rhannol oherwydd annarbodion maint, costau staff uwch fel cynnydd yn yr isafswm cyflog a hefyd am fod tafarndai'n tueddu i dalu mwy o dreth ar alcohol na hwnnw a brynir gan gystadleuwyr fel archfarchnadoedd.

Mae *J D Wetherspoon* yn cyflogi 35,000 o weithwyr. Mae'r rhan fwyaf ohonyn nhw'n gweithio yn eu tafarndai. Mae'r cwmni'n ceisio sicrhau bod rhai o'i staff yn cael eu recriwtio o blith y di-waith tymor hir, cyn-aelodau'r lluoedd arfog a'r rhai hynny sydd ag anableddau. Mae 62% o staff o dan 25 oed. Mae llawer ohonyn nhw heb fod mewn cyflogaeth o'r blaen. Cyflogir rheolwyr tafarndai gan *Wetherspoon* am 10.5 mlynedd ar gyfartaledd. Mae tua 18% o'r gweithwyr sy'n cael eu hadnabod fel 'cydymaith' ('*associate*') yn aros gyda'r cwmni am o leiaf 3 blynedd neu ragor. Mae trosiant gweithwyr ar ei isaf ers i'r busnes ddechrau. Mae cymdeithion ar gytundebau dim oriau (sero) heb unrhyw waith wedi'i sicrhau bob wythnos, ond gallant weithio i gyflogwyr eraill a gwrthod unrhyw oriau a gynigir. Dim ond rheolwyr sydd â lleiafswm oriau gwaith pob wythnos er bod cymdeithion yn gallu ymgeisio am hyn o dan rai amgylchiadau.

Annarbodion maint

Gan gyfeirio at yr 'annarbodion maint' cynigiwch dri ateb posibl i ddatrys y problemau hyn sy'n wynebu *J D Wetherspoon*. (3 marc)

ⓔ Mae'r gair gorchymyn 'cynigiwch' yn golygu bod angen i chi argymell ateb sy'n seiliedig ar reswm sy'n cael ei gefnogi. Dylech ddarparu camau gweithredu i'r busnes gyda thystiolaeth.

AA4: am roi argymhelliad i fynd i'r afael â'r materion annarbodion maint sy'n effeithio ar *J D Wetherspoon*. Dylid gwneud cynigion gyda sylwadau ychwanegol a thystiolaeth fer. Mae hyn yn werth hyd at 3 marc.

Myfyriwr A

Mae annarbodion maint yn digwydd pan fydd aneffeithlonrwydd rheolwyr yn arwain at gynnydd yn y costau fesul uned. [a]

ⓔ **Dyfarnwyd 0/3 marc.** [a] Mae'r myfyriwr wedi rhoi diffiniad cywir o annarbodion maint, ond am nad yw hyn yn ateb y cwestiwn nid yw'r myfyriwr yn derbyn unrhyw farc.

Myfyriwr B

Un broblem sydd efallai'n wynebu *J D Wetherspoon* yw gorfasnachu, oherwydd y ffaith bod gan y busnes dargedau twf ffyrnig. **a** Un ateb efallai yw lleihau nifer y tafarndai newydd y mae *Wetherspoon* yn eu hagor er mwyn iddo sicrhau bod llif arian yn ddigonol i brynu cwrw a gwin. Gallai hyn alluogi'r tafarndai i gyflenwi'r galw am ddiod, cynyddu arian, ac elw yn y pen draw. **b**

Un broblem arall efallai yw bod diffyg cymhelliant gweithwyr yn effeithio ar gynhyrchedd, am fod y darn yn nodi bod y rhan fwyaf o'r staff ar gontractau heb unrhyw oriau pendant. **c** Un ateb posibl yw cynnig oriau pendant i'r staff, gan roi mwy o sicrwydd swydd iddynt, mwy o gymhelliant gan wella cynhyrchedd yn y 750 o leoliadau. **d**

Efallai mai un broblem arall yw diffyg cyfathrebu mewnol am fod 750 o wahanol dafarndai ar wasgar ledled y DU. **e** Os oes rhaid i bob rheolwr archebu stoc o swyddfa ganolog mae'n bosibl nad yw archebion yn cael eu cyfathrebu'n ddigon clir neu'n ddigon cyflym i drefnu dosbarthu mewn pryd. **f** Efallai mai un ateb yw cael system gyfrifiadurol i reoli stoc, sy'n cofrestru pob gwerthiant yn awtomatig ac yn archebu cynhyrchion pan gyrhaeddir stoc clustogi. **g**

e **Dyfarnwyd 3/3 marc.** **a** a **b** Mae'r myfyriwr yn nodi problem gan ddefnyddio tystiolaeth ac yna'n cynnig ateb a eglurwyd yn glir am 1 marc AA4. **c** a **d** Mae'r myfyriwr yn nodi problem arall ac yn rhoi ateb arall a eglurir yn glir am 1 marc AA4. **e**–**g** Caiff problem olaf ac ateb manwl eu cynnig a'u hegluro am 1 marc AA4.

Mae'r ffaith bod Myfyriwr A wedi sgorio 0 marc (gradd U) yn dangos diffyg gwaith paratoi a diffyg deall y sgiliau sydd eu hangen i ateb y cwestiwn. Mae Myfyriwr B yn dangos dealltwriaeth ragorol o annarbodion maint yng nghyd-destun y busnes, gan roi cynigion clir am welliant, ac ennill gradd A.

Rheoli trwy amcanion

Eglurwch ddwy fantais i fusnes fel *Weatherspoon* i fabwysiadu dull rheoli trwy amcanion. (6 marc)

e Mae'r gair gorchymyn 'eglurwch' yn golygu bod angen i chi roi manylion a rhesymau ynghylch sut a pham mae hyn yn digwydd. Dylai eich ateb ddangos ystyr yr hyn y mae gofyn i chi ei egluro, a dylai egluro effaith, gadarnhaol neu negyddol yr effeithiau ar y busnes.

AA1: am enwi dwy o fanteision rheoli trwy amcanion. Mae hyn yn werth 2 farc ar y mwyaf.

AA2: am gymhwyso pob mantais i fusnes fel *Wetherspoon*. Dylech ddefnyddio cymhwysiad yn gywir a darparu tystiolaeth briodol o'r cyd-destun. Mae hyn yn werth hyd at 2 farc.

AA3: am ddadansoddiad llawn o fanteision rheoli trwy amcanion yng nghyd-destun busnes fel *Wetherspoon*.

I ennill marciau da mae angen nodi dwy wahanol fantais a'u cysylltu â chyd-destun y busnes.

Myfyriwr A

Ystyr rheoli trwy amcanion yw gwella perfformiad y busnes drwy amcanion pendant i reolwyr a gweithwyr. **a** Un o fanteision rheoli trwy amcanion yw bod amcanion clir yn caniatáu ar gyfer mesur perfformiad a gwelliant ar bob lefel o'r busnes. **b** Gallai *Wetherspoon* ddefnyddio rheoli trwy amcanion i osod targedau ar gyfer pa mor gyflym mae staff yn gweini diod i gwsmeriaid wrth y bar ac yna trafod gyda staff sut mae gwella'r targed hwn. **c** Un anfantais efallai yw nad yw'r amcanion a osodir yn rhai cyraeddadwy, amserol, mesuradwy, penodol, uchelgeisiol a synhwyrol. **d** Er enghraifft, petai *McDonalds* yn gosod targed amser byr iawn i staff gymryd archeb bwyd fel o fewn 15 eiliad o'r amser mae'r cwsmer yn cyrraedd y bwyty ni fyddai cyrraedd y targed hwn yn gyraeddadwy yn ystod cyfnodau prysur. **e** Mae hyn yn golygu nad ydy hi'n bosib i staff daro'r targed. Gallai hynny arwain at leihad mewn cymhelliant gan leihau cynhyrchedd. **ff**

e **Dyfarnwyd 2/6 marc** **a** Mae'r myfyriwr yn rhoi diffiniad o reoli trwy amcanion ond am fod y cwestiwn yn gofyn am fanteision, nid yw hyn yn ennill marc. **b** Mae'r myfyriwr yn nodi un fantais am 1 marc AA1. **c** Wedyn mae'n nodi un o fanteision cyd-destunol mabwysiadu rheoli trwy amcanion am 1 marc AA2. **d** Nid yw'r myfyriwr yn ateb y cwestiwn drwy roi anfantais yn hytrach na mantais, felly nid yw'n ennill marciau. **e** a **f** Mae'r myfyriwr yn rhoi dadansoddiad cyd-destunol da o'r anfantais yng nghyd-destun *McDonald's* ond eto ni chaiff unrhyw farc am nad yw'n ateb y cwestiwn ynghylch yr effaith ar *Wetherspoon*.

Myfyriwr B

Ystyr rheoli trwy amcanion yw gwella perfformiad y busnes drwy osod amcanion pendant i reolwyr a gweithwyr. Un o fanteision hyn yw bod amcanion clir yn caniatáu ar gyfer mesur perfformiad a gwelliant ar bob lefel o'r busnes. **a** Gallai *Wetherspoon* ddefnyddio rheoli trwy amcanion i osod targedau ar gyfer pa mor gyflym mae staff yn gweini cwsmeriaid ac yna trafod gyda'r staff sut mae gwella'r targed hwn, er mwyn cynyddu'r trosiant ymhellach o £790.3 million yn 2016. **b** Gyda thargedau staff wedi'u gosod ar lefel heriol ond cyraeddadwy ar gyfer cymryd archebion, byddai gwasanaeth cwsmeriaid yn gwella. Gallai helpu *Wetherspoon* i wella boddhad cwsmeriaid a sicrhau cynnydd mewn gwerthiant. **c**

Un o fanteision eraill y dull rheoli trwy amcanion yw bod staff yn gallu cael eu grymuso os ydyn nhw'n cael eu sbarduno gan y rheolwyr i gymryd rhan weithredol mewn gosod yr amcanion hynny. Byddai hyn yn creu criw o weithwyr sy'n uwch eu cymhelliant a lefelau uwch o gyflawniad ar draws tafarndai *Wetherspoon*. **d** Am fod llawer o staff yn *Wetherspoon* ar gytundebau dim oriau, bydd annog staff i gymryd rhan mewn gosod eu hamcanion eu hunain yn annog mwy o gydweithio, lefelau uwch o gymhelliant ac efallai cynnydd mewn cynhyrchedd o ganlyniad. **e** Byddai hyn yn helpu i wneud y targedau twf ffyrnig ar gyfer gwerthiant yn ogystal ag agor safleoedd newydd yn fwy cyrraeddadwy gan gynnal lefel uchel o wasanaeth i gwsmeriaid a chynnydd mewn refeniw ac elw.

e Dyfarnwyd 6/6 marc. a Mae'r myfyriwr yn nodi mantais rheoli trwy amcanion gan ennill 1 marc AA1. b a c Mae'r myfyriwr yn datblygu'r fantais yn fanwl gan ddefnyddio cyd-destun yn ardderchog ynghylch yr effeithiau cadarnhaol y gallai hyn eu cael ar fusnes *Wetherspoon* am 1 marc AA2 ac 1 marc AA3. d Yna mae'r myfyriwr yn nodi mantais arall am 1 marc AA1 e a f Mae'r myfyriwr yn datblygu'r fantais yn fanwl gan ddefnyddio cyd-destun *Wetherspoon* yn ardderchog am 1 marc AA2 ac 1 marc AA3.

Mae Myfyriwr A yn gwneud nifer o wallau sy'n nodweddiadol o fyfyrwyr sy'n methu darllen y cwestiwn yn ofalus. Mae llawer o wastraff ymdrech ar ddiffiniad a beth yw dadansoddiad da sy'n methu ateb y cwestiwn. Mae'n amlwg bod y myfyriwr hwn yn deall rheoli trwy amcanion yn dda, ond mae ei ei ddiffyg gallu i ymateb i ofynion y cwestiwn yn golygu ei fod yn ennill gradd is (gradd E). Mae Myfyriwr B yn arddangos sgiliau ardderchog o ran cymhwyso dadansoddiad manwl o reoli trwy amcanion i gyd-destun *Wetherspoon*, gan ddefnyddio cyd-destun priodol yn ardderchog (gradd A*).

Trosiant llafur

Gwerthuswch bwysigrwydd lleihau trosiant llafur ar gyfer busnes fel *Wetherspoon*. (10 marc)

e Mae'r gair gorchymyn 'gwerthuswch' yn golygu bod angen i chi ysgrifennu ateb gan ddefnyddio'r hyn sydd yn y darn sy'n trafod manteision ac anfanteision y cysyniad busnes. Mae angen hefyd i chi lunio barn am y term busnes yng nghyd-destun y darn a chynnwys damcaniaethau busnes perthnasol eraill.

AA1: am ddealltwriaeth dda o'r rhesymau dros bwysigrwydd lleihau trosiant llafur i *Wetherspoon* neu ddiffiniad o drosiant llafur. Mae hyn yn werth 2 farc ar y mwyaf.

AA2: am gymhwyso'n dda pam mae lleihau trosiant llafur yn bwysig i *Wetherspoon*. Dylech gyfeirio'n glir at y darn i gefnogi'ch dadl. Mae hyn yn werth hyd at 2 farc.

AA3: am ddadansoddiad da, clir o bwysigrwydd y materion a nodwyd i lwyddiant *Wetherspoon*. Mae hyn yn werth hyd at 2 farc.

AA4: am werthusiad manwl a chytbwys o'r ffactorau allweddol sy'n effeithio ar drosiant llafur yng nghyd-destun *Wetherspoon*. Dylid llunio barn wedi'i chefnogi am y term busnes yng nghyd-destun y cwestiwn, efallai gydag argymhelliad am y strategaeth orau. Mae hyn yn werth hyd at 4 marc.

Myfyriwr A

Mae trosiant llafur yn cael ei ddiffinio fel gallu cwmni i berswadio ei weithwyr i aros gyda'r busnes. a Un o fanteision trosiant llafur isel yw y bydd gan y busnes lai o gostau dethol a hyfforddi na'i gystadleuwyr am na fydd angen iddo hysbysebu cymaint am staff newydd. b Mae hyn yn golygu y bydd *Wetherspoon* yn gwneud mwy o elw o bob diod mae'n ei gwerthu. c Mae'r astudiaeth achos yn nodi bod trosiant llafur ar ei isaf felly mae hyn yn golygu bod costau trosiant llafur wedi gwella ers y blynyddoedd blaenorol. d

Fodd bynnag, os yw trosiant llafur yn rhy isel gallai'r busnes golli buddion staff newydd yn dod i'r busnes. e Ymhlith y rhain mae cyfrannu syniadau newydd at y busnes a staff newydd yn gallu herio dulliau gweithio cyfredol. f Er enghraifft, gallai aelod newydd o staff fod wedi gweithio mewn cwmni cystadleuol a oedd yn defnyddio dull mwy effeithlon o weini diodydd. g

Mae angen i drosiant llafur fod yn isel er mwyn gostwng costau cymaint â phosibl yn y busnes. h

e Dyfarnwyd 6/10 marc. a Mae'r myfyriwr yn rhoi diffiniad o drosiant llafur am 1 marc AA1. b Mae'r myfyriwr yn nodi mantais trosiant llafur isel sy'n cael ei datblygu ond heb ei chysylltu â busnes felly dim ond 1 marc AA3 y mae'n ei ennill. c a d Yna mae'r myfyriwr yn nodi mantais trosiant llafur isel i *Wetherspoon*, gan ddangos ei fod yn deall sut gallai hyn fod wedi cyfrannu at lwyddiant *Wetherspoon*, gyda chyd-destun perthnasol, am 1 marc AA2 ac 1 marc AA3. e–g Mae'r myfyriwr yn cyflwyno problem lleihau trosiant llafur ac yn rhoi enghraifft sy'n berthnasol i *Wetherspoon* am 1 marc AA1 ac 1 marc AA2. Am nad yw'r dadansoddiad wedi'i ddatblygu'n dda, ni fyddai unrhyw farc am hyn, ond mae'r myfyriwr hwn eisoes wedi ennill yr uchafswm o farciau ar gyfer AA3. h Mae'r myfyriwr yn ceisio gwneud argymhelliad ond am nad yw'n cael ei ddatblygu nid yw'n ennill unrhyw farciau pellach.

Myfyriwr B

Un rheswm pwysig i *Wetherspoon* leihau trosiant llafur yw bod elw ar gyfer 2016 wedi gostwng 3.8%. a Am mai costau llafur yw un o gostau mwyaf busnes, bydd lleihau trosiant llafur yn golygu bydd *Wetherspoon* yn cadw mwy o staff ac felly'n lleihau costau yr arian sy'n cael ei wario ar ddewis a dethol staff a chostau hyfforddi. b Mae *Wetherspoon* wedi llwyddo i gadw 18% o'i staff am fwy na 3 blynedd ac ni all dulliau pellach sy'n annog cadw mwy o lafur ond helpu i leihau costau ymhellach. c Un rheswm arall dros leihau trosiant llafur yw bod staff sy'n aros yn eu swydd am gyfnod hir yn debygol o fod yn fwy effeithlon ac yn debygol hefyd o wella'r gwasanaeth y mae'r cwsmeriaid yn ei dderbyn. d Bydd hyn yn gwella profiad cwsmeriaid o'r dafarn ac yn annog teyrngarwch cwsmeriaid a mwy o wariant ar ymweliadau. e Dylai hyn arwain at elw mwy o faint a lleihau effaith yr isafswm cyflog cenedlaethol ar elw. f

Fodd bynnag, bydd angen ystyried lleihau trosiant llafur yng nghyd-destun yr hyn sy'n gyffredin yn y diwydiant hwn. g Er enghraifft, os yw cystadleuwyr yn cadw 18% o'u staff am fwy na 5 mlynedd mae'n amlwg nad yw *Wetherspoon* wedi rhoi digon o strategaethau ar waith i gadw staff. h O ganlyniad, bydd costau dethol a hyfforddi staff newydd yn uwch na rhai cystadleuwyr. i Efallai hefyd fod *Wetherspoon* yn colli manteision trosiant llafur uwch fel staff newydd yn dod â syniadau newydd a allai gynyddu cynhyrchedd. j Er enghraifft, byddai staff newydd yn gallu cynnig syniadau newydd am gwrw unigryw y gellid ei gyflwyno i *Wetherspoon* fel pwynt gwerthu unigryw. Byddai hwn yn talu costau'r trosiant llafur a mwy, ac yn arwain yn y pen draw at arloesi pellach a mantais gystadleuol. k

Yr allwedd i leihau trosiant llafur i *Wetherspoon* yw sicrhau ei fod yn llawer gwell na chystadleuwyr, er mwyn lleihau costau cymharol. l Yn ôl y dystiolaeth, mae rheolwyr tafarn yn aros dros 10 mlynedd felly os yw *Wetherspoon* o ddifrif am ddilyn y llwyddiant hwn mae angen iddo fuddsoddi mwy o arian yn rhoi contractau oriau pendant i'w staff, i'r rheini sydd am eu derbyn. m Bydd hyn yn creu'r cydbwysedd gorau rhwng caniatáu cyfraddau cadw gwell a buddion fel gwell gwaith tîm a gwasanaeth cwsmeriaid, a hyblygrwydd yn y gweithlu. Yn y tymor hir gallai hyn roi mantais gystadleuol glir i *Wetherspoon* a throi'r gostyngiad cyfredol o 3.8% mewn elw yn gynnydd. n

e **Dyfarnwyd 10/10 marc.** a Mae'r myfyriwr yn rhoi rheswm dros yr angen i leihau trosiant llafur, gan gynnwys tystiolaeth o'r detholiad am 1 marc AA1 ac 1 marc AA2. b a c Yna mae'r myfyriwr yn rhoi dadansoddiad gyda thystiolaeth o leihau trosiant llafur sydd wedi'i ddatblygu'n dda am 1 marc AA2 a 2 farc AA3. d–f Mae'r myfyriwr yn nodi un o fanteision pellach lleihau trosiant llafur gyda thystiolaeth a dadansoddiad yn ennill 1 marc AA1, a'r holl farciau eraill am ddadansoddi a chymhwyso wedi cyrraedd eu huchafswm. g–i Mae'r myfyriwr yn gwerthuso lleihau trosiant llafur o safbwynt cymharu â chystadleuwyr gan ddefnyddio'r darn yn dda, gan ennill 2 farc AA4. j a k Mae'r myfyriwr yn rhoi pwynt gwerthusol pellach gyda thystiolaeth am farc AA4 arall. l–n Yna mae'n rhoi ei farn ac argymhelliad o ran dull posibl i *Wetherspoon* leihau trosiant llafur sy'n nodi'r manteision tymor hir posibl, gan ennill 1 marc AA4.

Mae Myfyriwr A yn defnyddio ychydig o'r darn ac yn rhoi dadansoddiad gan ddefnyddio tystiolaeth am y cysyniad busnes ond mae braidd yn arwynebol mewn mannau, a hynny heb ddyfnder. Nid yw'n cael unrhyw farciau am werthuso (gradd D). Mae Myfyriwr B yn gwneud defnydd ardderchog o amrywiaeth eang o gysyniadau busnes, gan gynnwys gwybodaeth fanwl am y materion sy'n gysylltiedig â throsiant llafur. Mae'n rhoi gwerthusiad clir o'r materion ac yn llunio barn glir sy'n gysylltiedig â marchnad, amcanion, cynnyrch a sefyllfa, gan drafod sut gallai strategaeth weithio (gradd A). Fodd bynnag, gallai'r myfyriwr hwn fod wedi derbyn marciau tebyg ag ateb byrrach, felly cofiwch rannu'r amser yn deg er mwyn gwneud yn siŵr bod gennych ddigon o amser i gwblhau'r papur arholiad cyfan.

3 CBAC SAFON UWCH

Darn 1

Mae brand technoleg newydd yn ceisio perswadio pobl mwyaf cefnog Llundain i dalu £10,000 neu ragor am ffôn clyfar gyda'i siop gyntaf.

Mae *Sirin Labs*, sef busnes newydd wedi derbyn cefnogaeth ariannol gwerth $72 miliwn (£50 miliwn) gan y prif weithredwr sef Tal Cohen a benthyciadau gan fuddsoddwyr ynghyd â threfniant gorddrafft gan fanc *Sirin*. Mae'r cwmni yn bwriadu lansio ffôn newydd fydd yn cystadlu ag *Apple* sydd eisoes â phresenoldeb bwysig iawn yn y maes hwn.

Bydd *Sirin* yn ceisio creu cynnyrch arbenigol uwch-bremiwm sydd fwy na 10 gwaith yn ddrutach nag iPhone gan ddefnyddio nodweddion diogelwch o radd filwrol a deunyddiau premiwm, fel metelau drudfawr a diemwntau. Ond eto bydd y ffôn clyfar wrth wraidd y cyfan yn seiliedig ar system weithredu Android *Google*, sydd ar gael am ddim i weithgynhyrchwyr ffonau symudol. Mae *Sirin* wedi llwyddo i brynu darnau i'w ffonau clyfar am £50 y ffôn.

Mae'r cwmni'n gobeithio y bydd yn gallu gwerthu'r ffôn mewn marchnad arbenigol iawn lle mae pwyslais ar statws a bod yn well na phawb arall. Bydd y cwmni yn rhoi ei sylw ar wneud ffôn fydd yn ymateb i ddymuniadau unigol pob cwsmer. Yn ôl Cohen mae'r cwmni yn edrych ar faint marchnad o 60 miliwn, sy'n cynnwys 18 miliwn o filiwnêrs. 'Ym mhob marchnad defnyddiwr, mae tua 2%-10% o'r cynnyrch ar gyfer haen uchaf y farchnad. O ran ffonau symudol dim ond 0.1% - 0.2% sydd wedi mabwysiadu y math yma o ffôn felly mae 1.8% o'r farchnad eto ar gael ar gyfer y math hwn o gynnyrch.'

Asedau *Sirin Labs* yn ystod y mis a ddaeth i ben 30 Mehefin 2016

	£
Stoc	50,000
Derbyniadau	10,000
Arian yn y banc	500,000
Cyfanswm asedau cyfredol	560,000

Ychwanegu gwerth

Mae gan *Sirin* archeb am ffôn symudol o aur solet y mae'n codi £15,000 amdano ar y cwsmer. Cost y metelau drudfawr a ddefnyddiwyd yn y ffôn yw £7,000 a daw costau eraill i gyfanswm o £2,560.

Cyfrifwch ychwangiad gwerth gwerthiant y ffôn symudol i *Sirin Labs*. (3 marc)

ⓔ Mae'r gair gorchymyn 'cyfrifwch' yn golygu bod rhaid i chi gwblhau cyfrifiad fesul cam gan ddefnyddio data o'r darn. Dylech ddefnyddio'r dechneg neu'r fformiwla rydych wedi'i dysgu. Mae'n bwysig i chi gofio defnyddio'r uned neu'r unedau cywir ar gyfer eich atebion.

AA1: am wybodaeth a dealltwriaeth o'r term busnes yn y cwestiwn. Mae hyn yn werth 1 marc.

AA2: am gymhwysiad da, e.e. cymhwyso'n gywir y fformiwla am gyfrifo ychwanegu gwerth gan ddefnyddio'r ffigurau cywir. Mae hyn yn werth hyd at 2 farc.

Myfyriwr A

Mae ychwanegu gwerth yn golygu ehangu'r gwahaniaeth rhwng y cost cynhyrchu a'r pris gwerthu. Gall cwsmeriad gredu bod y cynnyrch yn well na chynnyrch cystadleuwyr oherwydd delwedd y brand, gan gryfhau teyrngarwch i'r brand. [a]
Ychwanegu gwerth = pris gwerthu'r cynnyrch – cost cynhyrchu [b]

e **Dyfarnwyd 1/3 marc.** [a] Mae'r myfyriwr yn rhoi diffiniad cywir o ychwanegu gwerth ond am fod y cwestiwn yn gofyn am gyfrifiad nid yw'n derbyn unrhyw farciau. [b] Mae'r myfyriwr yn rhoi fformiwla gywir o ychwanegu gwerth am 1 marc AA1.

Myfyriwr B

Ychwanegu gwerth = pris gwerthu'r cynnyrch – cost cynhyrchu. [a]

Cost cynhyrchu = £7,000 + £2,560 = £9,560 [b]

Ychwanegu gwerth = £15,000 – £9,560 = £5,440 [c]

e **Dyfarnwyd 3/3 marc.** [a] Mae'r myfyriwr yn rhoi fformiwla gywir am ychwanegu gwerth am 1 marc AA1. [b] Cyfrifir cyfanswm y costau cynhyrchu am 1 marc AA2. [c] Defnyddiwyd y fformiwla am ychwanegu gwerth yn gywir i gyfrifo'r ateb am 1 marc AA2.

Mae Myfyriwr A wedi camddeall y cwestiwn a'r gair gorchymyn, gan ennill marciau isel (gradd E). Mae Myfyriwr B wedi rhoi ateb cryno a gyflwynwyd yn dda, gyda'r tair cydran i gyd, am farciau llawn (gradd A*). Dylech dderbyn marciau llawn yn hawdd am y math hwn o gwestiwn cyhyd ag eich bod wedi deall y geiriau gorchymyn a defnyddio'r ffigurau priodol.

Rheoli stoc

Ystyriwch y farn y gallai rheoli stoc yn wael gan fusnes fel *Sirin Labs* arwain at fethiant y busnes. (12 marc)

e Mae'r gair gorchymyn 'ystyriwch' yn golygu bod angen i chi adolygu gwahanol wybodaeth, barn neu safbwyntiau mewn perthynas â'r cwestiwn. Dylech greu ateb ar sail y darn, sy'n ystyried manteision ac anfanteision y cysyniad busnes. Rhaid i chi hefyd roi casgliad a llunio barn am y term busnes yng nghyd-destun yr astudiaeth achos a chynwys damcaniaethau busnes perthnasol eraill. Gellir defnyddio'r darn i ddarparu cymhwysiad.

AA1: am wybodaeth a dealltwriaeth o'r term busnes yn y cwestiwn. Mae hyn yn werth hyd at 2 farc.

AA2: am gymhwyso da gan ddangos enghreifftiau o reoli stoc a ddefnyddiwyd yng nghyd-destun *Sirin Labs*. Dylech gymhwyso'r cyd-destun yn gywir. Mae hyn yn werth hyd at 2 farc.

AA3: am roi dadansoddiad ardderchog o ddulliau rheoli stoc gwael fel ffactor sy'n arwain at fethiant y busnes. Dylai eich dadansoddiad fod yn gytbwys, yn fanwl, wedi'i resymu a'i ddatblygu'n dda. Mae hyn yn werth hyd at 4 marc.

AA4: am roi gwerthusiad ardderchog, sy'n gytbwys, gan ystyried llwyddiant neu fethiant y busnes dan sylw oherwydd rheolaeth wael o stoc. Dylai'r manteision a'r anfanteision fod yn gytbwys gan ganolbwyntio ar y materion allweddol. Dylid llunio barn gyda sylwadau perthnasol sy'n atgyfnerthu eich barn neu eich sylwadau. Mae hyn yn werth hyd at 4 marc.

Myfyriwr A

Rheoli stoc yw'r ymdrech gan fusnesau at sicrhau bod lefelau stoc yn cael eu rheoli'n effeithlon. a Mae'r darn yn y cwestiwn arholiad yn dangos bod gan *Sirin Labs* werth £500 o stoc. b Bydd rheoli stoc yn wael yn golygu bod y busnes wedi amcangyfrif yn rhy uchel sawl ffôn symudol a fydd yn cael ei werthu. c Mae hyn yn golygu y bydd costau'n cynyddu i'r busnes. d Fodd bynnag, nid oes gan *Sirin Labs* ond gwerth £500 o stoc ym mis Mehefin 2016 felly nid yw hyn yn llawer o stoc ac fe fyddan nhw'n gallu gwerthu'r stoc hwnnw mewn lle prysur fel Llundain. e

e Dyfarnwyd 3/12 marc. a Mae'r myfyriwr yn rhoi diffiniad cywir o reoli stoc i dderbyn 1 marc AA1. b Mae'r myfyriwr yn datblygu'r pwynt hwn gan gymhwyso'n berthnasol ond mae'n camddehongli'r ffigurau yn y tabl felly nid yw'n cael unrhyw farciau. c Mae'r myfyriwr yn nodi un o anfanteision rheoli stoc gwael gyda chyd-destun gan ennill 1 marc AA3 ac 1 marc AA2. d Mae'n datblygu ei bwynt i ddangos effaith ar y busnes ond am ei fod yn bwynt generig ac yn gwneud tybiaethau nid yw'n cael unrhyw farciau pellach. e Yna mae'r myfyriwr yn ceisio gwerthuso'r sefyllfa stoc i'r busnes ond am fod hyn yn seiliedig ar ddehongliad anghywir o'r data o'r tabl nid yw'n cael unrhyw farciau.

Myfyriwr B

Rheoli stoc yw'r ymgais gan y busnes at sicrhau bod lefelau stoc yn cael eu rheoli'n effeithlon; lefel y stoc yn syml yw faint o stoc sy'n cael ei gadw gan y busnes. a Mae'r tabl asedau yn dangos bod *Sirin Labs* yn dal £50,000 o stoc ar ddiwedd mis Mehefin 2016 a bydd rhaid iddo dalu costau ychwanegol am storio'r stoc. b Os yw lefel stoc *Sirin* yn enghraifft o gadw gormod o stoc, mae'n golygu ei fod wedi goramcangyfrif y galw. c O ganlyniad bydd ganddo ormod o arian ynghlwm wrth stoc ac efallai na fydd ganddo ddigon o gyfalaf gweithio ar gael i dalu ei rwymedigaethau cyfredol. Er enghraifft y llog sy'n daladwy ar y trefniant gorddrafft mawr y mae banc *Sirin* wedi'i ganiatáu iddo er mwyn lansio'r busnes. d Pe byddai hyn yn parhau yn y tymor hir, byddai *Sirin Labs* yn cael problemau llif arian ac ni fyddai'n gallu talu ei ddyledion, gan arwain at fethiant y busnes. e Fodd bynnag, mae *Sirin Labs* yn fusnes newydd sydd yn ôl yr astudiaeth achos wedi gwneud ymchwil i'r farchnad debygol o gwsmeriaid a fydd yn prynu ei ffonau £10,000. f Mae hefyd wedi codi swm sylweddol o gyllid (£50 miliwn). Felly os rheolwyd stoc yn wael yn syml oherwydd diffyg data hanesyddol ar gael am alw am ffonau yna mae hyn yn debygol o wella wrth i'r busnes ddechrau gwerthu yn Llundain. [g] Cyhyd ag y daw'r broses o archebu stoc yn fwy realistig wrth i'r busnes gynyddu gwerthiant, bydd problem cadw gormod o stoc yn lleihau wrth i *Sirin Labs* wneud yn siŵr nad oes gan y cwmni fwy o stoc nag sydd ei angen i ddiwallu'r galw. [h] O ganlyniad byddai'r £50,000 o stoc ar gadw ym mis Mehefin yn lleihau, gan ostwng costau ychwanegol prynu a chadw stoc felly. [i] Byddai cyfalaf gweithio ar gael felly i dalu am y morgais a chostau eraill. [j] I gloi, mae fel petai gan *Sirin Labs* ddigon o gyllid i dalu am unrhyw broblemau tymor byr o ran rheoli stoc yn wael. [k]

e **Dyfarnwyd 11/12 marc.** [a] Mae'r myfyriwr yn rhoi diffiniad cywir o reoli stoc, sy'n ddigon manwl am 2 farc AA1. [b] Yna, mae'r myfyriwr yn defnyddio'r data o'r tabl i ddangos un o ganlyniadau rheoli stoc yn wael am 1 marc AA3 ac 1 marc AA2. [c] a [d] Mae'r myfyriwr hefyd yn dangos y canlyniad o'r cynnydd mewn costau yn ei gyd-destun am 1 marc AA2 ac 1 marc AA3. [e] Datblygir hyn ymhellach i ddangos effaith rheoli stoc yn wael ar y busnes, gan ennill marc pellach AA3. [f]-[h] Mae'r myfyriwr yn gwerthuso rheoli stoc gwael gan gymhwyso mewn cyd-destun, gan nodi bod *Sirin Labs* yn fusnes newydd sydd â buddsoddiad cyfalaf sylweddol. Datblygir y gwerthusiad i gasgliad rhesymegol, gan ennill 1 marc AA3 a 2 farc AA4. [i] a [j] Mae'r myfyriwr yn datblygu'r gwerthusiad ymhellach i ddod i gasgliad manwl am 1 marc AA4. Mae'n ceisio llunio casgliad ynghylch rheoli stoc yn wael i *Sirin Labs*, ond am nad yw'n gwneud mwy nag ailadrodd yr hyn a ddywedwyd eisoes, heb ychwanegu unrhyw farn nac argymhelliad, ni chaiff farciau pellach.

Mae Myfyriwr A yn gwneud gwall cyffredin gan gamddehongli'r data yn y tabl, a cholli marciau y gellid fod wedi'u cael yn hawdd gyda'r dehongliad cywir (gradd U). Mae hyn yn cyfyngu'n sylweddol ar yr ateb er bod sgiliau lefel uwch wedi'u hymarfer, fel defnyddio'r detholiadau i ateb y cwestiwn. Mae Myfyriwr B yn gwneud defnydd rhagorol o ystod eang o gysyniadau busnes, gan gymhwyso rheoli stoc a gwybodaeth ehangach am lif arian a chyfalaf gweithio. Ceir defnydd rhagorol o eiriau fel 'os' a 'gallai' i ddangos ei fod yn deall bod canlyniadau'n gallu bod yn anodd iawn eu rhagweld mewn unrhyw fusnes, ac mae felly yn defnyddio geiriau fel 'bydd' a 'byddai'.

Defnyddiwyd y data o'r tabl a'r cefndir busnes o'r astudiaeth achos yn arbennig o dda, gan arddangos asesiad cytbwys ac amrywiol o reoli stoc yn wael. Fodd bynnag, nid yw'r pwynt clo yn ychwanegu unrhyw werth pellach at yr ateb. Buasai'n well petai'r myfyriwr wedi awgrymu dull o leihau'r posibilrwydd o reoli stoc yn wael, fel defnyddio dull rheoli stoc mewn union bryd neu leihau stoc clustogi. Er hynny, mae'n ateb sy'n haeddu A*.

Darn 2

Mae *Apple* wedi postio ei ganlyniadau ariannol ar gyfer ail chwarter 2016. Roedd gostyngiad yn y refeniw o 12.8% ($50.6 biliwn). Yn 2015 roedd y gwethiant a'r derbyniadau wedi gostwng ar draws y busnes. Mae'n debyg fod hyn oherwydd gwerthiant is o'r *iPhone* wnaeth ostwng i 51.2 miliwn yn 2016 o'i gymharu â 61.2 miliwn yn 2015.

Mae dadansoddwyr wedi rhoi'r bai am y dirywiad ar gyfuniad o ffactorau gan gynnwys cystadleuaeth a chyflenwad gormodol o ffonau gan foddi'r farchnad (*market saturation*), sefyllfa ariannol wan o ran arian cyfred (*currency*) a'r economi yn arafu - yn arbennig felly yn China. Rheswm arall oedd gwerthiant siomedig yr *iPhone 6s* oedd yn cynnwys nodweddion oedd yn rhy debyg i *iPhone* y flwyddyn flaenorol.

Amcangyfrifir bod *iPhone 6* yn costio tua $230–$260 i'w weithgynhyrchu, gan gynnwys costau ychwanegol fel costau cludo a chostau pacio.

Erbyn hyn, mae defnyddwyr yn uwchraddio eu ffonau clyfar yn llai aml nag yn y gorffennol, gan adael *Apple* mewn lle anodd os yw cyflwyno ffôn newydd ar y farchnad ddim yn llwyddo i daro deuddeg gyda chwsmeriaid.

O ystyried statws yr *iPhone* sef cynnyrch mwyaf poblogaidd a phroffidiol *Apple*, bydd y cwmni yn gobeithio bod *iPhone 7* yn cael ei lansio'n llwyddiannus a'i dderbyn yn dda.

Bu *Apple* yn trafod ei ymdrechion i leihau gwastraff drwy ddatgelu system robotaidd a ddatblygwyd ganddo o'r enw 'Liam', sy'n gallu datgymalu hen *iPhones* ac adfer deunyddiau y gellir eu hailgylchu. Mae Liam yn gallu datgymalu un *iPhone* bob 11 eiliad a bydd yn cael ei osod ar waith yn yr Unol Daleithiau ac Ewrop, gan allu datgymalu pob model *iPhone* yn y pen draw i allu ailddefnyddio'r adnoddau. Hyd at 2015, roedd y cwmni wedi gwerthu 700 miliwn o *iPhones* yn unig.

Mae *Apple* eisoes yn ailgylchu ei gynhyrchion ei hun ac yn 2015 roedd yn gallu adfer dros 30 miliwn kg o ddeunyddiau crai gan gynnwys 1,102 kg o aur.

Ers 2007 bu gan weithgynhyrchwyr ddyletswyddau cyfreithiol i sicrhau bod defnyddwyr yn gallu gwaredu cynhyrchion trydanol sy'n nesáu at ddiwedd eu hoes ddefnyddiol yn ddiogel. Os nad ydyn nhw'n gallu cydymffurfio â'r ddyletswydd honno yna fe fyddan nhw'n agored i gael eu dirwyo'n drwm iawn. Gan gadw hyn mewn cof, mae *Apple* yn gyfrifol am *Apple Renew* lle mae cwsmeriaid yn gallu cyfnewid ei hen *iPhone* am gredyd ar ffôn newydd.

Croesawodd *Greenpeace* fenter *Apple* fel enghraifft dda o ymrwymiad *Apple* tuag at warchod yr amgylchedd tra'n amau beth fyddai cyfraniad Liam mewn gwirionedd o gofio'r nifer o ffonau sydd angen eu hailgylchu. Mae'r rhan fwyaf o'r ffonau hyn hefyd yn cael eu hailgylchu gan siopau annibynnol lle nad oes mynediad i wasanaeth Liam.

Gwastraff

Ystyriwch y farn bod lleihau gwastraff yn bwysig i barhad busnes fel *Apple*. (12 marc)

ⓔ Mae'r gair gorchymyn 'ystyriwch' yn golygu bod angen i chi adolygu gwahanol wybodaeth, barn neu safbwyntiau mewn perthynas â'r cwestiwn. Dylech greu ateb sy'n seiliedig ar y darn yn y cwestiwn gan edrych ar fanteision ac anfanteision y cysyniad busnes. Rhaid i chi hefyd roi casgliad a llunio barn am y term busnes yng nghyd-destun y deunydd ysgogi a chynnwys damcaniaethau busnes perthnasol eraill. Gellir defnyddio'r darn i ddarparu cymhwysiad.

AA1: am wybodaeth a dealltwriaeth o'r term busnes yn y cwestiwn. Mae hyn yn werth hyd at 2 farc.

AA2: am gymhwyso da sy'n dangos enghreifftiau o leihau gwastraff yng nghyd-destun *Apple*. Dylech gymhwyso'r cyd-destun yn gywir. Mae hyn yn werth hyd at 2 farc.

AA3: am roi dadansoddiad rhagorol o bwysigrwydd lleihau gwastraff yn ffactor yn llwyddiant parhaus y busnes. Dylai eich dadansoddiad fod yn gytbwys, yn fanwl, wedi'i resymu a'i ddatblygu'n dda. Mae hyn yn werth hyd at 4 marc.

AA4: am roi gwerthusiad ardderchog, sy'n gytbwys, ynghylch llwyddiant neu fethiant y busnes mewn perthynas â lleihau gwastraff. Dylai'r manteision ac anfanteision fod yn gytbwys a dylent ganolbwyntio ar y materion allweddol. Dylid llunio barn gyda sylwadau perthnasol sy'n cyfoethogi eich sylwadau. Mae hyn yn werth hyd at 4 marc.

Myfyriwr A

Ystyr gwastraff yw unrhyw beth nad yw'n ychwanegu gwerth at y cynnyrch. a Un o fanteision lleihau gwastraff yw lleihau costau cynhyrchu *Apple*. b Mae hyn yn golygu y bydd *Apple* yn gwneud mwy o elw o bob ffôn a werthir. c Mae *Apple* wedi ystyried bod lleihau gwastraff yn cynnwys ailgylchu hen ffonau cwsmeriaid gan ddefnyddio ei robot o'r enw Liam i'w datgymalu. d Mae hyn yn golygu fod *Apple* yn gallu ailgylchu'r darnau hyn a'u troi'n ddarnau newydd am ffonau newydd fel yr *IPhone 7*. e

Fodd bynnag, efallai byddai'n well i *Apple* petai'n gwneud ffonau nad ydyn nhw'n creu unrhyw wastraff yn y lle cyntaf. f Gellid gwneud hyn drwy ddefnyddio llai o ddeunyddiau crai i'w gwneud yn ogystal â lleihau'r gost i *Apple*. Byddai hyn hefyd yn arwain at gynnydd yn yr elw iddyn nhw. g

e **Dyfarnwyd 6/12 marc.** a Mae'r myfyriwr yn rhoi diffiniad o wastraff am 1 marc AA1. b Mae'r myfyriwr yn rhoi mantais lleihau gwastraff am 1 marc AA3. c Mae'n ceisio nodi beth yw canlyniad lleihau gwastraff i *Apple*. Mae'r ateb fodd bynnag yn gyffredinol a generig ac felly nid yw'n ennill unrhyw farciau pellach ar gyfer AA3, ond mae'n ennill 1 marc AA2. d ac e Mae'r myfyriwr yn rhoi mantais gyd-destunol lleihau gwastraff ac yn nodi budd sylfaenol i *Apple* i ennill 1 marc AA3 ac 1 marc AA2. f a g Mae'r myfyriwr yna'n ceisio gwerthuso lleihau gwastraff drwy awgrymu dull gwell a mwy cost effeithiol, ond mae'r pwyntiau'n generig heb unrhyw gyd-destun felly mae'n ennill 1 marc AA4 yn unig.

Myfyriwr B

Un rheswm pwysig i *Apple* leihau gwastraff drwy ailgylchu yw ei ddyletswyddau cyfreithiol ers 2007 i waredu'n ddiogel y cynhyrchion nad yw cwsmeriaid yn eu defnyddio rhagor. a Gydag *Apple* yn cynhyrchu 700 miliwn o *iPhones*, bydd hyn yn golygu bod rhaidi'r cwmni ddod o hyd i ffyrdd o waredu'n ddiogel yr holl ffonau sydd wedi dod i ddiwedd eu hoes. Mae'r cwmni wedi creu robot i ymgymryd â'r broses hon. b Drwy ddefnyddio Liam, gall *Apple* fodloni ei gyfrifoldebau cyfreithiol, ac osgoi dirwyon diderfyn am beidio â darparu ffordd ddiogel i'w gwsmeriaid waredu eu ffonau. Gall hefyd elwa drwy adennill nifer o fetelau gwerthfawr. c Er enghraifft, mae *Apple* eisoes wedi adfer 30 miliwn cilogram o ddeunyddiau o hen ffonau y gellir eu gwerthu neu eu hailddefnyddio mewn ffonau newydd, gan leihau costau neu greu ffynhonnell arall o incwm. d

Fodd bynnag, buasai'n fwy effeitihol byth i *Apple* leihau gwastraff drwy ddefnyddio dull cynhyrchu mwy effeithlon fel cynhyrchu main sy'n ceisio lleihau costau a gwella ansawdd drwy ddefnyddio amrywiaeth o fesurau arbed gwastraff. **e** Er enghraifft, gallai *Apple* ddefnyddio dulliau gwella parhaus i geisio lleihau gwastraff fel canfod deunyddiau mwy eco-gyfeillgar i wneud ei ffonau ohonyn nhw neu ddefnyddio llai o ddeunyddiau yn y lle cyntaf. **f** O ganlyniad byddai gwastraff yn cael ei leihau adeg cynhyrchu yn hytrach na thrwy ailgylchu. Byddai hyn yn ychwanegu mwy o werth at y cynnyrch a lleihau'r costau i wneud y ffôn, er enghraifft o $230 hyd at $200. **g** Gallai hyn olygu mwy o elw yn ogystal â llai o wastraff i *Apple*. **h**

Fodd bynnag, mae rheswm pwysig arall pam fyddai *Apple* efallai am leihau gwastraff sef dangos i'w gwsmeriaid ei fod yn cymryd ei gyfrifoldebau amgylcheddol o ddifrif. **i** Drwy gynnig credyd i'w gwsmeriaid am eu hen *iPhone* a gallu ailgylchu ac ailddefnyddio'r hen ddarnau gan ddefnyddio'r robot, mae'n bosibl y bydd cwsmeriaid yn teimlo bod cynhyrchion pris premiwm *Apple* yn cynnig gwerth da am arian oherwydd eu polisïau gwyrdd. Byddai hyn yn annog ffyddlondeb cwsmeriaid, mwy o werthiant a chostau deunydd crai rhatach i *Apple* oherwydd y rhaglen ailgylchu. **j** Dylai *Apple* felly barhau â'i raglen ailgylchu i ailddefnyddio gwastraff a thorri costau yn y tymor byr ond dylai hefyd ystyried dulliau mwy eco-gyfeillgar o adeiladu ffonau gyda'r gwastraff lleiaf yn y tymor hir, i sicrhau bod cwsmeriaid yn parhau i brynu'r ffonau. **k**

e **Dyfarnwyd 12/12 marc.** **a** Mae'r myfyriwr yn nodi rheswm pam fyddai *Apple* efallai am leihau gwastraff gyda chyd-destun am 1 marc AA1 ac 1 marc AA2. **b**-**d** Yna mae'r myfyriwr yn rhoi canlyniad lleihau gwastraff, sydd mewn cyd-destun ac sydd â datblygiad da, am 1 marc AA1, 1 marc AA2 a 2 farc AA3. **e** Mae'r myfyriwr yn gwerthuso lleihau gwastraff drwy awgrymu y byddai'n fwy effeithlon gwneud hyn drwy'r broses gynhyrchu am 2 farc AA3. **f**-**h** Mae'r myfyriwr yn datblygu'r gwerthusiad hwn gan ddefnyddio'r darn yn dda i ddangos budd gwahanol ddull o leihau gwastraff, gan ennill 2 farc AA4. **i**, **j** Wedyn mae'r myfyriwr yn cynnig pwynt gwerthuso pellach sef pam allai ailgylchu fod o fudd i *Apple* o ran gwerthiant cynnyrch a chostau is am 1 marc AA4. **k** Lluniwyd barn ac argymhelliad ar sut fyddai *Apple* efallai am leihau gwastraff yn y tymor byr i'r tymor hir, gan ennill 1 marc AA4.

Mae Myfyriwr A yn defnyddio rhywfaint o'r astudiaeth achos ac yn dadansoddi'r cwestiwn ychydig ond mae'n arwynebol a heb ddyfnder, gyda rhai honiadau, gan ennill gradd D yn unig. Mae Myfyriwr B yn gwneud defnydd ardderchog o ystod eang o gysyniadau busnes gan gynnwys gwybodaeth fanwl am leihau gwastraff yng nghyd-destun ehangach cynhyrchu yn ogystal ag ailgylchu. Mae'r myfyriwr hefyd yn gwneud defnydd rhagorol o gyd-destun ehangach canfyddiadau cwsmeriaid am ailgylchu ac effaith y rhain ar werthiant, gan ffurfio argymhelliad a barn sy'n cynnwys rhesymu da. Mae'r ateb yn gwerthuso mewn modd ychydig yn wahanol, yn yr ystyr nad yw'n anghytuno â'r cwestiwn ond mae'n credu y gellir lleihau gwastraff yn well byth nag a ddisgrifir yn y darn a dweud y gwir, gan greu ateb craff sy'n werth A*.

Atebion Profi gwybodaeth

1. Mae cronfa ddata gynhwysfawr *Marks and Spencer* ond yn rhoi manylion prynu am yr hyn a brynwyd yn y gorffennol. Dydy'r gronfa ddata ddim yn gallu rhagweld beth mae prynwyr yn mynd i'w brynu yn y dyfodol o ran ffasiwn. Heb rhyw ddull o ragweld tueddiadau ffasiwn ac arferion prynu cwsmeriaid prin yw'r budd a ddaw drwy ddefnyddio dull a arweinir gan asedau.
2. (a) *Boeing*: swyddogaeth a gweithgynhyrchu economaidd;

   (b) *Gucci*: estheteg neu edrychiad a swyddogaeth;

   (c) *Barratt Homes*: gweithgynhyrchu economaidd a swyddogaeth.
3. Mae *Apple* wedi mabwysiadu strategaeth estyn ar gyfer yr *iPhone 5s*.
4. Am fod matrics Boston yn gweithio ar gyfran y farchnad a thwf marchnad yn unig, gan roi roi golwg sydyn (*snapshot*) o berfformiad cynnyrch ar yr adeg a fesurwyd. Mae'n cynnig bras syniad a yw'r cwmni yn perfformio'n dda ai peidio. Hwn yw'r man cychwyn ar gyfer cynllunio'r camau nesaf i'w cymryd gyda chynnyrch. Bydd angen ymchwil a data pellach i wirio a ydy matrics Boston yn rhagweld twf a chyfran y farchnad yn y dyfodol.
5. Am fod *Huawei* yn weithgynhyrchwr ffonau newydd nid oes ganddo'r enw da na'r ddelwedd brand i allu gwerthu ei ffonau am yr un pris ag *Apple* gan nad ydy cwsmeriaid yn gwybod dim am y cwmni ac felly yn gyndyn i brynu. Efallai bydd pris is yn temtio cwsmeriaid i roi cynnig ar ei ffôn newydd.
6. Un sydd â delwedd brand cryf.
7. Noddir Clwb Pêl-droed Lerpwl gan *Standard Chartered* yn 2019-20.
8. Mae brand *Nike* yn gysylltiedig â llwyddiant y pêl-droediwr enwog. Bydd cwsmeriaid yn cysylltu ei lwyddiant â chynhyrchion *Nike* ac yn talu premiwm i'w prynu.
9. Am nad oes unrhyw ddata busnes am gynnyrch newydd, er enghraifft ar werthiant, bydd bron yn amhosibl creu cyllideb sy'n seiliedig ar ddata blaenorol.
10. Pan fydd cyfranddalwyr neu fuddsoddwyr am gael taliad difidend neu ad-daliad ar eu buddsoddiad.
11. Busnesau newydd sydd newydd ddechrau sy'n ei chael yn anodd cael cyllid gan ffynonellau eraill fel banciau.
12. Nid oes gan y busnes ddata hanesyddol fydd yn cynnig gwybodaeth o ran gwariant a gwerthiant.
13. £500− (£150 + £300) = £50
14. Am nad oes rhaid i'r prynwyr dalu am y cynnyrch yn syth, efallai y bydd yn oedi talu yn hirach nag a ganiateir mewn gwirionedd.
15. Mae maint yr elw crynswth yn uwch gan fod yr elw a ddaw o werthu bwyd yn uwch na chostau paratoi'r bwyd. Mae mwy o elw felly ar werthu bwyd a diod na gwerthu diod yn unig.
16. Gall godi prisiau uwch am ei watshis gan greu mwy o elw.
17. Rhaid i rai busnesau fodloni gofynion cyfreithiol o ran sgiliau staff. Bydd angen i *McDonald's* sicrhau bod pawb o'r staff yn derbyn rhywfaint o hyfforddiant i ffwrdd o'r gwaith i gael cymwysterau sylfaenol mewn hylendid a diogelwch bwyd.
18. Oherwydd os oes mwy o reolwyr i oruchwylio staff sy'n gwneud bwyd, dylai ansawdd y bwyd fod yn well, gan olygu lefelau uwch o foddhad cwsmeriaid ac, yn y pen draw, mwy o elw.
19. Anogir gweithwyr i weithio fel tîm gyda rheolwyr yn gwrando ar eu syniadau a'u barn, gan annog felly syniadau creadigol ar gyfer cynhyrchion newydd.
20. Pe byddai pob gweithiwr yn elwa ar unrhyw elw cynyddol, byddai'n debygol o'u cymell i fod yn fwy cynhyrchiol a rhoi gwell gwasanaeth i gwsmeriaid, gan arwain at werthiant ac elw uwch.
21. Ystyr cylchdroi swyddi yw gweithwyr yn gweithio fel tîm ac yn gwneud gwaith gwahanol o fewn y tîm ar linell gynhyrchu. Efallai bydd gweithwyr sy'n rhoi cynnig ar dasg newydd yn sylwi ar arferion gwaith y gellid eu gwella â phrosesau o dasgau eraill y maent wedi'u cyflawni ar y llinell gynhyrchu, gan wella ansawdd yn gyffredinol felly.
22. O dan arweinyddiaeth *laissez-faire*, anogir gweithwyr i wneud eu penderfyniadau eu hunain o fewn y terfynau a osodwyd gan yr arweinydd. Lle mae arweinyddiaeth yn unbenaethol, nid yw gweithwyr yn gwneud unrhyw benderfyniadau, yr arweinydd yn unig sy'n gyfrifol am eu gwneud.
23. Gall *Tesla* eu cynhyrchu am y pris sylfaenol y mae'n gostio i'w gwneud yn hytrach na gorfod talu i gwmni arall fydd yn gosod elw uwchben y cost cynhyrchu. Mae *Tesla* wedi rhagfynegi y bydd costau fesul kWh o fatri yn 30% i 40% yn llai na'r gost pe byddai'r batris yn cael eu prynu o weithgynhyrchwr arall, sy'n caniatáu i'r cwmni gadw'r pris gwerthu ar y lefel gyfredol gan wneud mwy o elw.
24. Am fod *Primark* yn gynhyrchwr dillad cost isel a marchnad dorfol. Mae llif-gynhyrchu'n caniatáu ar gyfer y dull mwyaf effeithlon a rhataf o wneud dillad felly.
25. Er mwyn rhoi mwy o amser i greu cynnyrch o ansawdd uwch, er enghraifft siwtiau wedi'u teilwra.
26. Drwy wella ei ddelwedd brand neu hyrwyddo cynhyrchion, er enghraifft drwy ddefnyddio cynigion arbennig.
27. Efallai bydd staff newydd y mae angen eu hyfforddi ac nad ydyn nhw eto mor effeithlon â staff mwy profiadol.
28. Drwy gael gweithwyr i edrych ar eu rôl eu hunain ac ystyried sut gallan nhw wneud eu gwaith yn gyflymach a mwy effeithlon, gan wastraffu llai o ddeunyddiau crai ac amser.
29. Bydd unrhyw fwyd sydd heb ei werthu yn cael ei wastraffu ac felly'n gost ychwanegol.
30. Drwy gynyddu maint ei faes pêl-droed i ganiatáu ar gyfer mwy o seddi. Er enghraifft, buddsoddodd Arsenal yn *Stadiwm Emirates* yn 2006, sydd â lle i 60,432, gan alluogi'r clwb i werthu seddi mewn mwy o nifer ac am gost yr uned sy'n llawer rhatach.

Sylwch: Mae rhifau tudalennau **print trwm** yn nodi lle mae diffiniadau o dermau allweddol i'w gweld.

A

B

C